1일 10분

초등 내가 어휘력

초등 3~4학년

6권

자기 주도 학습력을 기르는 1일 10분 공부 습관!

☑ 공부가 쉬워지는 힘, 자기 주도 학습력!

자기 주도 학습력은 스스로 학습을 계획하고, 계획한 대로 실행하고, 결과를 평가하는 과정에서 향상됩니다.
이 과정을 매일 반복하여 훈련하다 보면 주체적인 학습이 가능해지며 이는 곧 공부 자신감으로 연결됩니다.

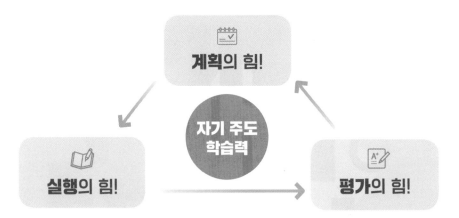

☑ 1일 10분 시리즈의 3단계 학습 로드맵

〈1일 10분〉 시리즈는 계획, 실행, 평가하는 3단계 학습 로드맵으로 자기 주도 학습력을 향상시킵니다.
또한 1일 10분씩 꾸준히 학습할 수 있는 부담 없는 학습량으로 매일매일 공부 습관이 형성됩니다.

1 단계 학습 계획하기

주 단위로 학습 목표를 확인하고 학습할 날짜를 스스로 계획하는 과정에서 자기 주도 학습력이 향상됩니다.

2 단계 학습 실행하기

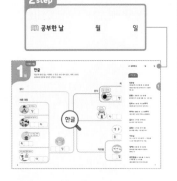

1일 10분 주 5일 매일 일정 분량 학습으로, 초등 학습의 기초를 탄탄하게 잡는 공부 습관이 형성됩니다.

3 단계 결과 평가하기

학습을 완료하고 계획대로 실행했는지 스스로 진단하며 성취감과 공부 자신감이 길러집니다.

마인드맵으로 배우는 교과 어휘
초등 메가 어휘력

 마인드맵을 활용하여 어휘를 효과적으로 학습합니다.

마인드맵은 영국의 두뇌학자인 토니 부잔(Tony Buzan)이 만든 시각적인 사고 도구(Visual Thinking)로, 좌뇌와 우뇌를 동시에 사용하여 자신의 생각을 지도를 그리듯 이미지화한 것입니다. 전문가들은 마인드맵을 활용하면 어휘를 깊이 있게 이해하고 더 오래 기억할 수 있다고 말합니다. 〈1일 10분 초등 메가 어휘력〉은 주제를 중심으로 어휘 사이의 관계를 이해하고 사고력, 창의력, 기억력을 높여 어휘를 효과적으로 학습할 수 있도록 합니다.

 교과 선정 어휘로 구성하여 교과 학습을 도와줍니다.

〈1일 10분 초등 메가 어휘력〉은 초등 교과를 바탕으로 선정한 주제와 그와 관련된 어휘들로 이루어져 있습니다. 교과에서 선정한 어휘를 주제별로 묶어, 주제를 중심으로 어휘를 학습하면서 자연스러운 교과 학습뿐 아니라 교과목을 넘나드는 융합적인 어휘력을 기를 수 있습니다.

 다양한 어휘 활동으로 어휘력을 향상시켜 줍니다.

무작정 외우는 학습법으로는 어휘를 다양하게 활용할 수 없습니다. 〈1일 10분 초등 메가 어휘력〉은 어휘와 어휘 사이의 관계를 파악하고 다양한 쓰임새를 학습하도록 구성하였습니다. 학습 어휘를 바탕으로 연상 어휘, 유의어, 반의어, 한자어, 상위어, 하위어, 속담, 관용구, 사자성어 등 다양한 문제를 제공하여 어휘력을 향상시키는 동시에 사고력도 키워 줍니다.

 자기 주도적인 공부 습관을 길러 줍니다.

아이 스스로 공부할 수 있도록 이끌어 주려면 아이가 소화할 수 있는 학습량을 제시해 주어야 합니다. 〈1일 10분 초등 메가 어휘력〉은 1일 4쪽 분량으로 아이 혼자서도 부담 없이 재미있게 공부할 수 있도록 구성되어 있습니다. 어휘 그물을 채우고 문제를 푸는 반복적인 과정을 통해 어휘를 익히고, 스스로 어휘 그물을 그려 보며 자기 주도적인 공부 습관을 기를 수 있게 도와줍니다.

이 책의 구성

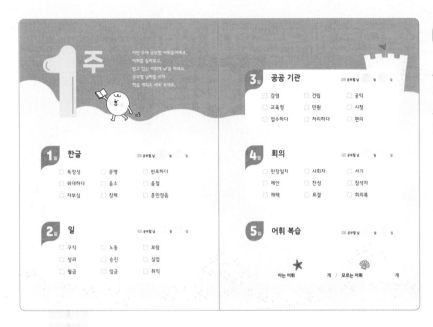

어휘 미리보기

본격적으로 학습하기 전에 주별 학습 어휘 주제를 미리 살펴봅니다. 아는 어휘와 모르는 어휘가 각각 얼마나 되는지 체크합니다.

어휘 그물

어휘의 설명을 읽고, 마인드맵 형식으로 표현한 어휘 그물의 빈칸을 채우며 주제별 어휘를 학습합니다. 어휘 그물의 학습 어휘는 생활과 밀접한 생활 어휘와 초등학교 교과에서 주요하게 다루는 어휘로 선정하였습니다.

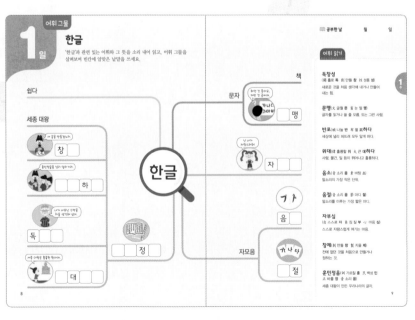

어휘 학습

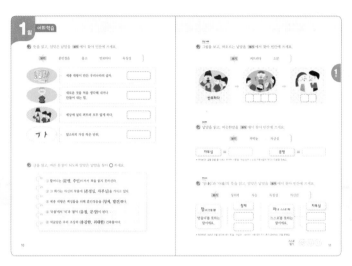

문장 속에서 어휘를 활용한 문제, 어휘의 뜻을 명확하게 인지하는 문제로 확실하게 어휘를 익힙니다. 학습 어휘를 중심으로 연상 어휘, 비슷한말, 반대말, 포함하는 말, 포함되는 말을 배우며 어휘 간의 관계를 파악하고 어휘의 범위를 확장시킵니다. 속담, 사자성어, 관용구에 대해서도 알아봅니다.

어휘 복습

1~4일에서 학습한 어휘를 교과별로 분류하여 문제를 풀어 봅니다. 앞에서 배운 어휘의 뜻을 제대로 이해했는지 복습하고, 교과별로 새로 나온 어휘도 익혀 봅니다. 주제와 관련 있는 사자성어를 익히며 관련된 이야기도 읽어 봅니다.

어휘 놀이 + 내가 만드는 어휘 그물

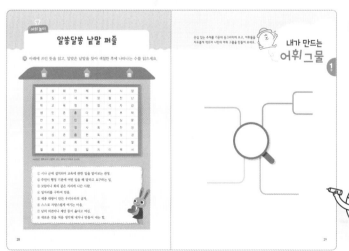

빈 곳에 들어갈 낱말 찾기, 숨어 있는 그림 찾기, 낱말 퍼즐, 빙고 등의 재미있는 놀이로 학습 어휘를 확인합니다. 관심 있는 주제와 관련 어휘들을 자유롭게 적어 나만의 어휘 그물도 만들어 봅니다.

이번 주에 공부할 어휘들이에요.
어휘를 살펴보고,
알고 있는 어휘에 ✓를 하세요.
공부할 날짜를 쓰며
학습 계획도 세워 보세요.

1일 한글

📖 공부할 날　　월　　일

- ☐ 독창성
- ☐ 문맹
- ☐ 반포하다
- ☐ 위대하다
- ☐ 음소
- ☐ 음절
- ☐ 자부심
- ☐ 창제
- ☐ 훈민정음

2일 일

📖 공부할 날　　월　　일

- ☐ 구직
- ☐ 노동
- ☐ 보람
- ☐ 성과
- ☐ 승진
- ☐ 실업
- ☐ 월급
- ☐ 임금
- ☐ 취직

3일 공공 기관

- ☐ 감염
- ☐ 건립
- ☐ 공익
- ☐ 교육청
- ☐ 민원
- ☐ 시청
- ☐ 접수하다
- ☐ 처리하다
- ☐ 편의

4일 회의

- ☐ 만장일치
- ☐ 사회자
- ☐ 서기
- ☐ 제안
- ☐ 찬성
- ☐ 참석자
- ☐ 채택
- ☐ 표결
- ☐ 회의록

5일 어휘 복습

 아는 어휘　　　　개 / 모르는 어휘　　　　개

1일

한글

'한글'과 관련 있는 어휘와 그 뜻을 소리 내어 읽고, 어휘 그물을 살펴보며 빈칸에 알맞은 낱말을 쓰세요.

쉽다

세종 대왕

새 글을 만들겠노라.

창 ☐

훈민정음을 널리 알리거라.

☐ ☐ 하 ☐

내가 네모난 수박을 처음 생각해 냈어.

독 ☐ ☐

세종 대왕은 훌륭한 왕이야.

☐ 대 ☐ ☐

한글

☐ ☐ 정

1
주

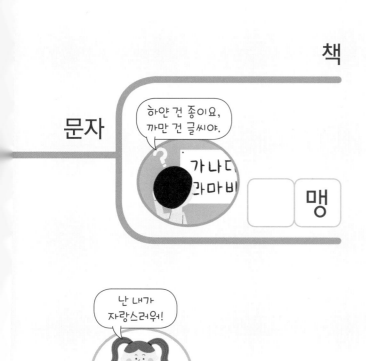

책

문자

□ 맹

자 □ □

음 □

자모음

□ 절

독창성
(獨 홀로 **독** 創 만들 **창** 性 성품 **성**)
새로운 것을 처음 생각해 내거나 만들어
내는 힘.

문맹(文 글월 **문** 盲 눈 멀 **맹**)
글자를 읽거나 쓸 줄 모름. 또는 그런 사람.

반포(頒 나눌 **반** 布 펼 **포**)**하다**
세상에 널리 퍼뜨려 모두 알게 하다.

위대(偉 훌륭할 **위** 大 큰 **대**)**하다**
사람, 물건, 일 등이 뛰어나고 훌륭하다.

음소(音 소리 **음** 素 바탕 **소**)
말소리의 가장 작은 단위.

음절(音 소리 **음** 節 마디 **절**)
말소리를 이루는 가장 짧은 마디.

자부심
(自 스스로 **자** 負 짐질 **부** 心 마음 **심**)
스스로 자랑스럽게 여기는 마음.

창제(創 만들 **창** 製 지을 **제**)
전에 없던 것을 처음으로 만들거나
정하는 것.

훈민정음(訓 가르칠 **훈** 民 백성 **민**
正 바를 **정** 音 소리 **음**)
세종 대왕이 만든 우리나라의 글자.

✏️ 뜻을 읽고, 알맞은 낱말을 [보기] 에서 찾아 빈칸에 쓰세요.

| 보기 | 훈민정음 | 음소 | 반포하다 | 독창성 |

세종 대왕이 만든 우리나라의 글자.

새로운 것을 처음 생각해 내거나 만들어 내는 힘.

세상에 널리 퍼뜨려 모두 알게 하다.

말소리의 가장 작은 단위.

✏️ 글을 읽고, 바른 문장이 되도록 알맞은 낱말을 찾아 ⭕ 하세요.

① 할머니는 (문맹, 주인)이셔서 책을 읽지 못하신다.

② 그 화가는 자신의 작품에 (존경심, 자부심)을 가지고 있다.

③ 세종 대왕은 백성들을 위해 훈민정음을 (창제, 발견)했다.

④ '국물'에서 '국'과 '물'이 (음절, 문장)이 된다.

⑤ 석굴암은 우리 조상의 (용감한, 위대한) 건축물이다.

연상 어휘

✎ 그림을 보고, 떠오르는 낱말을 보기 에서 찾아 빈칸에 쓰세요.

보기   퍼뜨리다   소문

반포하다

유의어

✎ 낱말을 읽고, 비슷한말을 보기 에서 찾아 빈칸에 쓰세요.

보기   까막눈   자긍심

| 자부심 | = | | | 문맹 | = | |

*'까막눈'은 '글을 읽을 줄 모르는 무식한 사람'을, '자긍심'은 '스스로 자랑스럽게 여기는 마음'을 뜻해요.

한자어

✎ '창(創)'과 '자(自)'의 뜻을 읽고, 알맞은 낱말을 보기 에서 찾아 빈칸에 쓰세요.

보기   창의력   자습   독창성   자신감

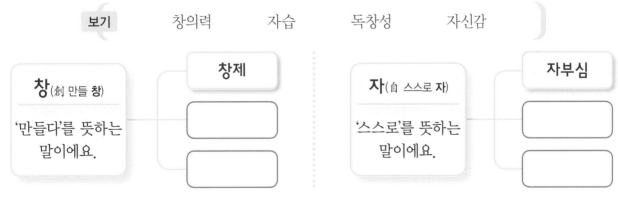

창(創 만들 창)

'만들다'를 뜻하는 말이에요.

창제

자(自 스스로 자)

'스스로'를 뜻하는 말이에요.

자부심

*'창의력'은 '새로운 것을 생각해 내는 힘'을, '자습'은 '가르치는 사람 없이 자기 혼자 공부하는 것'을 뜻해요.

스스로
평가

😄 🙂 😞

2일

일

'일'과 관련 있는 어휘와 그 뜻을 소리 내어 읽고, 어휘 그물을
살펴보며 빈칸에 알맞은 낱말을 쓰세요.

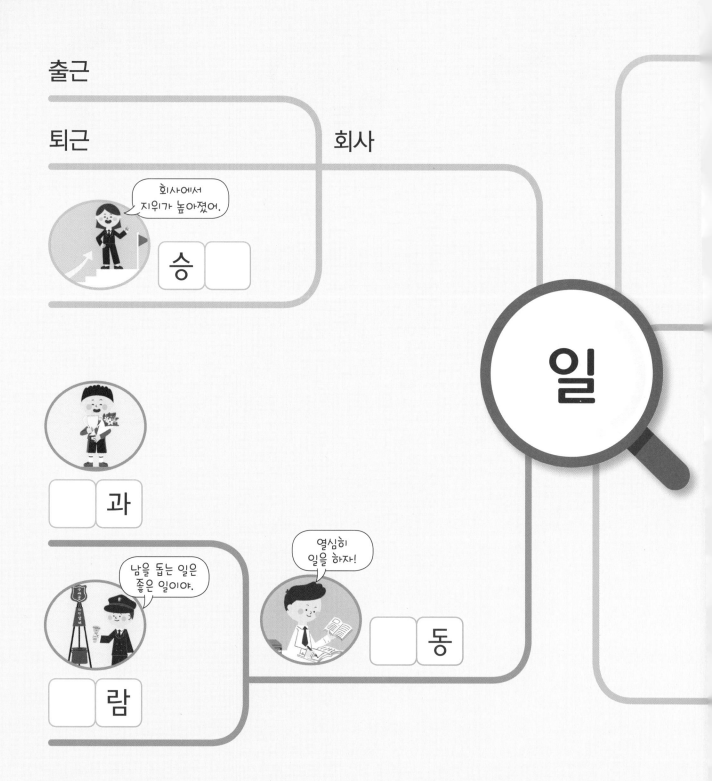

출근

퇴근

회사

회사에서
지위가 높아졌어.

승 [ ]

[ ] 과

남을 돕는 일은
좋은 일이야.

열심히
일을 하자!

[ ] 동

[ ] 람

일

*이력서: 지금까지 거쳐 온 학업, 직업, 경험 등을 적은 문서.

어휘 읽기

구직(求 구할 **구** 職 일 **직**)
일자리를 찾는 것.

노동(勞 일할 **노** 動 움직일 **동**)
돈이나 물건을 얻기 위해 몸이나 머리를
써서 일하는 것.

보람
어떤 일을 한 뒤에 얻는 좋은 결과나 느낌.

성과(成 이룰 **성** 果 결과 **과**)
어떤 일을 한 뒤에 이루어 낸 결과.

승진(昇 오를 **승** 進 나아갈 **진**)
회사나 군대 같은 조직에서 지위가
오르는 것.

실업(失 잃을 **실** 業 일 **업**)
일자리를 잃거나 일자리를 얻지 못하는 것.

월급(月 달 **월** 給 줄 **급**)
일터에서 일한 대가로 한 달마다 받는 돈.

임금(賃 품팔이 **임** 金 돈 **금**)
일한 대가로 받는 돈.

취직(就 이룰 **취** 職 일 **직**)
일자리를 구하여 얻음.

이력서*

대가

임　　
　　급

직업

구　　
실　　
　　직

13

✏️ 낱말을 읽고, 알맞은 뜻을 찾아 선으로 이으세요.

| 성과 | • | | 일한 대가로 받는 돈. |

| 노동 | • | | 어떤 일을 한 뒤에 이루어 낸 결과. |

| 구직 | • |  | 일자리를 찾는 것. |

| 임금 | • |  | 돈이나 물건을 얻기 위해 몸이나 머리를 써서 일하는 것. |

✏️ 글을 읽고, 바른 문장이 되도록 알맞은 낱말을 보기 에서 찾아 빈칸에 쓰세요.

보기   보람   승진   월급   실업   취직

① 엄마가 회사에서 과장으로 [   ]을 해서 축하 파티를 했다.

② 삼촌이 [   ]이 올랐다며 맛있는 음식을 사 주었다.

③ 이모는 은행에 [   ]을 하기 위해 열심히 공부했다.

④ 복지 회관에 급식 봉사를 하고 [   ]을 느꼈다.

⑤ 누나는 일 년째 일자리를 구하지 못하고 [   ] 상태이다.

연상 어휘

✎ 그림을 보고, 떠오르는 낱말을 보기 에서 찾아 빈칸에 쓰세요.

보기   자존감   뿌듯하다

청소를 했더니 기분이 좋아.

난 소중해.

제자가 성공하니 기쁘다.

보람

☐☐☐

☐☐☐☐

＊'자존감'은 '자기를 소중히 대하여 품위를 지키려는 감정'을, '뿌듯하다'는 '기쁨이 마음에 가득하다'를 뜻해요.

동음이의어

✎ 글을 읽고, 밑줄 친 낱말의 뜻을 보기 에서 찾아 알맞은 기호를 빈칸에 쓰세요.

보기
㉠ 임금: 옛날에 대를 이어 가면서 나라를 다스리던 사람.
㉡ 임금(賃 품팔이 임 金 돈 금): 일한 대가로 받는 돈.

① 세종 대왕은 어진 **임금**이었다. ⋯⋯⋯⋯⋯⋯⋯⋯⋯ ☐

② 작년보다 **임금**이 많이 올랐다. ⋯⋯⋯⋯⋯⋯⋯⋯⋯ ☐

속담

✎ 만화를 보고, 상황에 맞는 말이 되도록 알맞은 낱말을 보기 에서 찾아 빈칸에 쓰세요.

내가 도와줄게!

아니야, 혼자 들 수 있어.

같이 드니까 훨씬 가볍구나.

보기   백지장   구들장

➡ ☐☐☐도

맞들면 낫다

▶속담 '백지장도 맞들면 낫다'는 '쉬운 일이라도 협력하여 하면 훨씬 쉽다'는 뜻이에요.

스스로 평가 😄 🙂 ☹

15

3일

공공 기관

'공공 기관'과 관련 있는 어휘와 그 뜻을 소리 내어 읽고, 어휘 그물을 살펴보며 빈칸에 알맞은 낱말을 쓰세요.

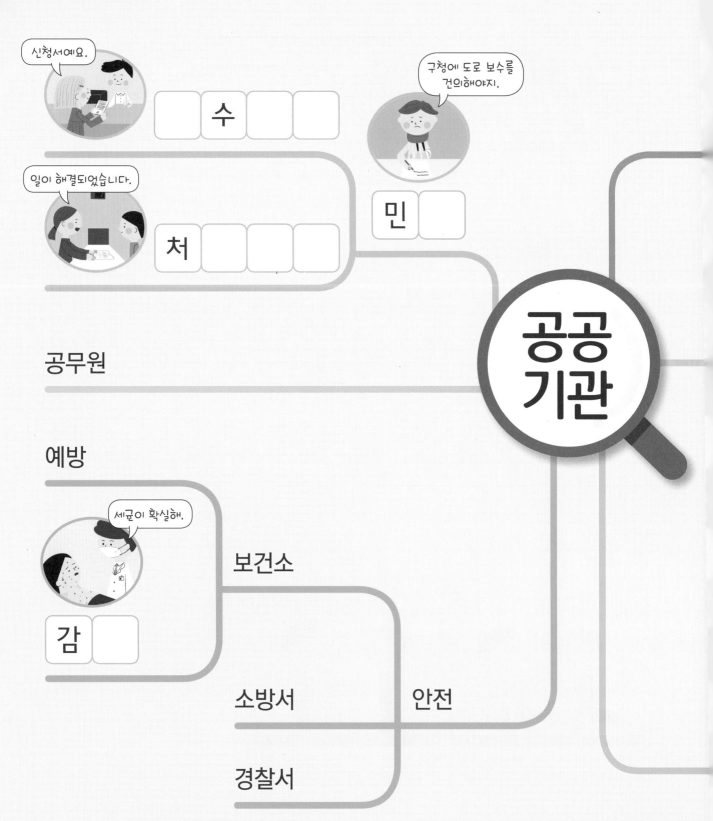

신청서예요.

□ 수 □ □

구청에 도로 보수를 건의해야지.

민 □

일이 해결되었습니다.

처 □ □ □

공무원

예방

세균이 확실해.

감 □

보건소

소방서   안전

경찰서

공공 기관

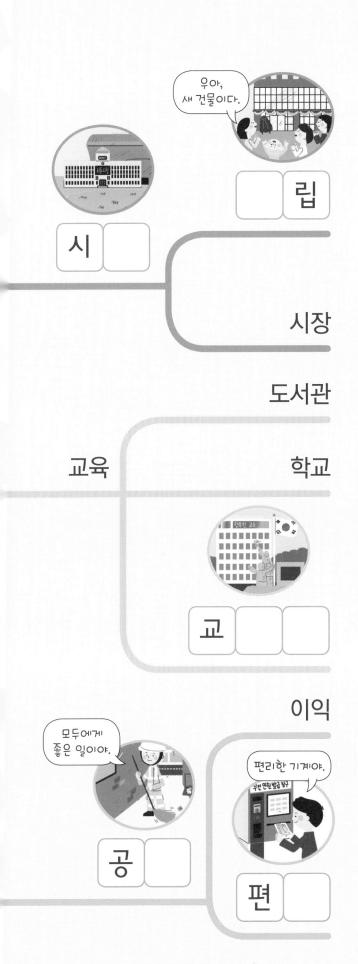

어휘 읽기

감염(感 느낄 **감** 染 물들일 **염**)
병균이 식물이나 동물의 몸 안으로
들어가 퍼짐.

건립(建 세울 **건** 立 설 **립**)
건물, 동상, 탑 등을 만들어 세우는 것.

공익(公 공평할 **공** 益 더할 **익**)
사회의 모든 사람에게 돌아가는 이익.

교육청
(敎 가르칠 **교** 育 기를 **육** 廳 관청 **청**)
시나 군에 설치되어 교육에 관한 일을
맡아보는 관청.

민원(民 백성 **민** 願 원할 **원**)
주민이 행정 기관에 어떤 일을 해 달라고
요구하는 일.

시청(市 시장 **시** 廳 관청 **청**)
시의 행정 사무를 맡아보는 관청.

접수(接 접할 **접** 受 받을 **수**)**하다**
신청이나 신고에 필요한 서류 같은 것을
받다.

처리(處 곳 **처** 理 다스릴 **리**)**하다**
일이나 사건을 순서에 따라 정리하여
마무리하다.

편의(便 편할 **편** 宜 마땅할 **의**)
어떤 일을 하기에 편하고 좋음.

17

✏️ 뜻을 읽고, 알맞은 낱말을 보기 에서 찾아 빈칸에 쓰세요.

보기   공익   교육청   편의   접수하다

어떤 일을 하기에 편하고 좋음.

시나 군에 설치되어 교육에 관한 일을 맡아보는 관청.

사회의 모든 사람에게 돌아가는 이익.

신청이나 신고에 필요한 서류 같은 것을 받다.

✏️ 글을 읽고, ( ) 안에 들어갈 알맞은 낱말을 찾아 선으로 이으세요.

독감 (   )을 예방하려면 마스크를 사용해야 한다.   • 건립

아빠는 쓰레기 문제로 시청에 (   )을 넣었다.   • 처리해

이번에 새로 (   )된 도서관은 크고 깨끗했다.   • 민원

경비 아저씨가 주민들의 문제를 잘 (   ) 주셨다.   • 감염

연상 어휘

🖊 그림을 보고, 떠오르는 낱말을 보기 에서 찾아 빈칸에 쓰세요.

보기   유명하다   동상

건립 → ☐☐ → ☐☐☐☐

동음이의어

🖊 글을 읽고, 밑줄 친 낱말의 뜻을 보기 에서 찾아 알맞은 기호를 빈칸에 쓰세요.

보기
ㄱ 시청(市 시장 시 廳 관청 청): 시의 행정 사무를 맡아보는 관청.
ㄴ 시청(視 볼 시 聽 들을 청): 눈으로 보고 귀로 들음.

① 나와 동생은 축구 경기를 **시청** 중이다. ·········· ☐

② 삼촌의 직업은 **시청** 공무원이다. ·········· ☐

한자어

🖊 '원(願)'과 '수(受)'의 뜻을 읽고, 알맞은 낱말을 보기 에서 찾아 빈칸에 쓰세요.

보기   염원   수용   소원   수락

원(願 원할 원)
'원하다'를 뜻하는 말이에요.

민원
☐
☐

수(受 받을 수)
'받다'를 뜻하는 말이에요.

접수하다
☐
☐

＊'염원'은 '어떤 일이 일어나기를 몹시 바라고 생각하는 것'을, '수용'은 '어떤 것을 받아들임'을, '수락'은 '요구를 받아들임'을 뜻해요.

스스로
평가   😄 🙂 😞

19

4일

회의

'회의'와 관련 있는 어휘와 그 뜻을 소리 내어 읽고, 어휘 그물을
살펴보며 빈칸에 알맞은 낱말을 쓰세요.

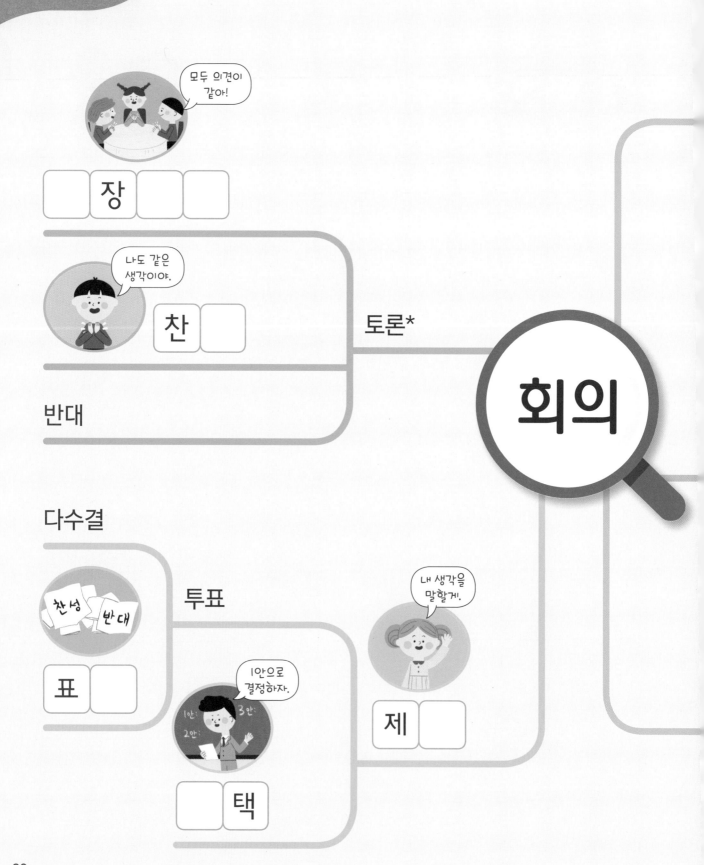

☐ 장 ☐ ☐

찬 ☐

반대

토론*

다수결

투표

표 ☐

택 ☐

제 ☐

회의

1주

명단

참석하다

| | 석 | |

| | 의 | |

기록하다

회의를 시작합니다.

| | 서 | |

주제

진행하다*

| | 회 | |

＊**진행하다:** 어떤 일을 계속해서 해 나가다.
＊**토론:** 어떤 문제에 대해 여러 사람이 각각 의견을 말하며 의논함.

어휘 읽기

만장일치(滿 찰 **만** 場 마당 **장**
一 하나 **일** 致 이를 **치**)
모든 사람의 의견이 완전히 같음.

사회자
(司 맡을 **사** 會 모일 **회** 者 사람 **자**)
회의나 예식 같은 행사에서 진행을 보는
사람.

서기(書 글 **서** 記 기록할 **기**)
회의 내용을 적는 사람.

제안(提 제시할 **제** 案 생각 **안**)
어떤 생각이나 의견을 내놓음.

찬성(贊 도울 **찬** 成 이룰 **성**)
남의 의견이나 제안 등이 옳다고 여김.

참석자
(參 참여할 **참** 席 자리 **석** 者 사람 **자**)
모임이나 회의 같은 자리에 나간 사람.

채택(採 캘 **채** 擇 가릴 **택**)
여럿 가운데 하나를 골라서 뽑아 쓰는 것.

표결(票 표 **표** 決 결정할 **결**)
회의에서 어떤 안건을 투표로 결정하는 것.

회의록
(會 모일 **회** 議 의논할 **의** 錄 기록할 **록**)
회의의 진행 과정, 내용, 결과 등을 적어
놓은 글.

✏️ 낱말을 읽고, 알맞은 뜻을 찾아 선으로 이으세요.

채택 •

사회자 •

찬성 •

서기 •

• 여럿 가운데 하나를 골라서 뽑아 쓰는 것.

• 회의 내용을 적는 사람.

• 회의나 예식 같은 행사에서 진행을 보는 사람.

• 남의 의견이나 제안 등이 옳다고 여김.

✏️ 글을 읽고, 바른 문장이 되도록 알맞은 낱말을 찾아 ◯ 하세요.

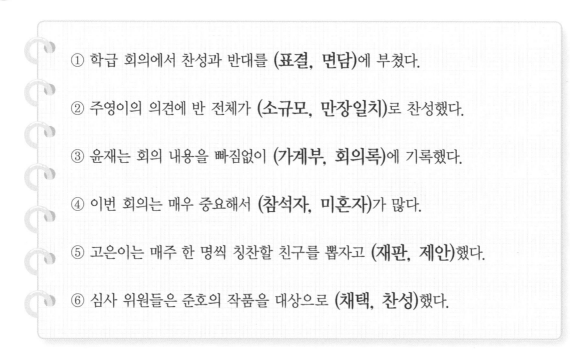

① 학급 회의에서 찬성과 반대를 (표결, 면담)에 부쳤다.

② 주영이의 의견에 반 전체가 (소규모, 만장일치)로 찬성했다.

③ 윤재는 회의 내용을 빠짐없이 (가계부, 회의록)에 기록했다.

④ 이번 회의는 매우 중요해서 (참석자, 미혼자)가 많다.

⑤ 고은이는 매주 한 명씩 칭찬할 친구를 뽑자고 (재판, 제안)했다.

⑥ 심사 위원들은 준호의 작품을 대상으로 (채택, 찬성)했다.

한자어

✎ '록(錄)'과 '표(票)'의 뜻을 읽고, 알맞은 낱말을 **보기** 에서 찾아 빈칸에 쓰세요.

보기   차표   목록   개표   녹음

록(녹)(錄 기록할 **록**)

'기록하다'를 뜻하는 말이에요.

회의록

표(票 표 **표**)

'표'를 뜻하는 말이에요.

표결

*'목록'은 '물건의 이름을 일정한 순서로 적은 것'을, '개표'는 '차표나 입장권을 입구에서 검사함'을 뜻해요.

상위어 · 하위어

✎ 낱말을 읽고, 알맞은 낱말을 **보기** 에서 찾아 빈칸에 쓰세요.

보기   표결   서기

찬성   반대   기권

회의

참석자   사회자

*'기권'은 '투표, 선거, 경기 등에 참가할 수 있는 권리를 스스로 버림'을 뜻해요.

속담

✎ 만화를 보고, 맞는 말이 되도록 알맞은 낱말을 **보기** 에서 찾아 빈칸에 쓰세요.

방학에는 숙제하기 정말 싫어요. 방학 숙제 좀 줄였으면 좋겠어요.

같은 말인데 이렇게 다르다니.

공부 외에도 다양한 경험을 쌓을 수 있도록 방학 숙제가 조금 줄면 좋겠습니다.

보기   어   아

➡ ☐ 해 다르고

☐ 해 다르다

▶속담 '아 해 다르고 어 해 다르다'는 '같은 내용이라도 이렇게 말하여 다르고 저렇게 말하여 다르다'는 뜻이에요.

스스로 평가 😄 🙂 😞

국어 낱말을 읽고, 알맞은 뜻을 찾아 선으로 이으세요.

독창성 •

표결 •

경청 •

자부심 •

• 스스로 자랑스럽게 여기는 마음.

• 새로운 것을 처음 생각해 내거나 만들어 내는 힘.

• 회의에서 어떤 안건을 투표로 결정하는 것.

• 다른 사람이 말하는 것을 귀를 기울여 들음.

수학 뜻을 읽고, 알맞은 낱말을 보기 에서 찾아 빈칸에 쓰세요.

보기   밀리리터   킬로그램

무게의 단위로 기호는 kg을 사용함.

들이의 단위로 기호는 mL를 사용함.

*'들이'는 '주전자나 물병과 같은 그릇 안쪽 공간의 크기'를 뜻해요.

사회 뜻을 읽고, 알맞은 낱말을 보기 에서 찾아 빈칸에 쓰세요.

보기 민원   감염   접수하다   처리하다   건립   취재   단속

1주

신문이나 잡지의 기사나 작품의 재료를 조사하여 얻음.

신청이나 신고에 필요한 서류 같은 것을 받다.

병균이 식물이나 동물의 몸 안으로 들어가 퍼짐.

법이나 규칙 등을 어기지 않게 통제함.

주민이 행정 기관에 어떤 일을 해 달라고 요구하는 일.

건물, 동상, 탑 등을 만들어 세우는 것.

일이나 사건을 순서에 따라 정리하여 마무리하다.

📖 과학 글을 읽고, 바른 문장이 되도록 알맞은 낱말을 보기 에서 찾아 빈칸에 쓰세요.

보기   공기   반사   용수철   방음벽

① 펌프로 자전거 타이어에 [   ]를 넣었다.

② 침대 매트리스 안에 여러 개의 [   ]이 들어 있다.

③ 도로와 아파트 사이에 [   ]을 설치했더니 소음이 줄었다.

④ 산에서 소리가 [   ]되어 메아리가 들린다.

＊'반사'는 '빛이나 소리 등이 물체에 부딪쳐 되돌아오는 현상'을, '용수철'은 '잘 늘어나고 줄어들게 나사 모양으로 돌려 감은 쇠줄'을, '방음벽'은 '소리가 새어 나가거나 새어 들어오는 것을 막기 위해 설치한 벽'을 뜻해요.

📖 과학 낱말을 읽고, 알맞은 뜻을 찾아 선으로 이으세요.

압축 •   • 물을 담아 두는 큰 통.

수조 •   • 어떤 한 축을 중심으로 제자리에서 빙빙 도는 것.

인공 •   • 부피를 줄여 작게 하는 것.

회전 •   • 자연적인 것이 아니라 사람의 힘으로 만들어 낸 것.

＊'축'은 '돌아가게 되어 있는 물건의 가운데'를 뜻해요.

사자성어 '어부지리'에 대한 글을 읽고, 물음에 답하세요.

어부지리(漁父之利)

'어부지리(漁父之利)'는 '漁(고기 잡을 **어**)', '父(아버지 **부**)', '之(갈 **지**)', '利(이로울 **리**)' 자를 써서, '어부의 이득'이라는 뜻으로 '둘이 싸우는 사이에 엉뚱한 사람이 이익을 얻는다'는 말이에요. 중국의 춘추 전국 시대에 조나라가 연나라를 공격하려 하자, 연나라의 신하였던 소대가 이웃 조나라의 혜문왕에게 화친*을 하자고 하며 이런 이야기를 들려주었어요. "제가 이곳에 오다가 냇가를 지나는데, 그곳에서 입을 벌리고 있는 조개를 보았습니다. 그때 조개를 본 도요새가 조갯살을 먹으려고 조개 입 속으로 부리를 집어넣었습니다. 그러자 조개는 입을 꽉 다물어 도요새의 부리를 물었지요. 마침 그 모습을 본 어부는 둘을 잡아가 버렸지요." 즉 연나라와 조나라가 서로 싸우면 옆에 있는 진나라만 이익을 가져갈 것이라는 말이었지요. 혜문왕은 그 말을 듣고 연나라를 공격하지 않았답니다.

***화친**: 나라와 나라 사이에 싸움이 없이 가까이 지냄.

1. '둘이 싸우는 사이에 엉뚱한 사람이 이익을 얻는다'를 뜻하는 사자성어를 빈칸에 쓰세요.

2. '어부지리'의 뜻을 생각하며, '어부지리'가 들어간 짧은 글짓기를 하세요.

27

알쏭달쏭 낱말 퍼즐

아래에 쓰인 뜻을 읽고, 알맞은 낱말을 찾아 색칠한 후에 나타나는 수를 읽으세요.

초	상	화	만	채	상	예	식	장
등	징	각	세	택	장	절	찬	난
학	교	육	청	하	참	석	자	감
생	민	존	훈	다	문	맹	부	학
찬	원	경	민	음	취	직	심	문
반	포	자	정	사	회	자	찬	장
대	상	존	음	편	독	창	성	경
음	소	감	회	의	록	구	직	찰
절	리	만	장	일	치	이	력	서

*낱말은 왼쪽에서 오른쪽, 또는 위에서 아래로 있어요.

① 시나 군에 설치되어 교육에 관한 일을 맡아보는 관청.
② 주민이 행정 기관에 어떤 일을 해 달라고 요구하는 일.
③ 모임이나 회의 같은 자리에 나간 사람.
④ 일자리를 구하여 얻음.
⑤ 세종 대왕이 만든 우리나라의 글자.
⑥ 스스로 자랑스럽게 여기는 마음.
⑦ 남의 의견이나 제안 등이 옳다고 여김.
⑧ 새로운 것을 처음 생각해 내거나 만들어 내는 힘.

28

관심 있는 주제를 가운데 동그라미에 쓰고, 어휘들을
자유롭게 적으며 나만의 어휘 그물을 만들어 보세요.

내가 만드는
어휘 그물

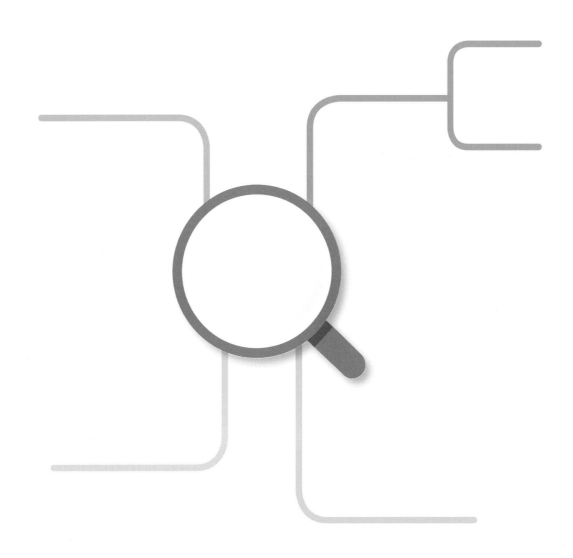

2주

이번 주에 공부할 어휘들이에요.
어휘를 살펴보고,
알고 있는 어휘에 ✔를 하세요.
공부할 날짜를 쓰며
학습 계획도 세워 보세요.

1일 쓰레기

📖 공부할 날   월   일

- [ ] 규제하다
- [ ] 기피하다
- [ ] 낭비
- [ ] 매립
- [ ] 분리배출
- [ ] 소각
- [ ] 이기심
- [ ] 일회용품
- [ ] 친환경

2일 갯벌

📖 공부할 날   월   일

- [ ] 간척
- [ ] 밀물
- [ ] 썰물
- [ ] 양식장
- [ ] 염전
- [ ] 조수
- [ ] 진흙
- [ ] 질퍽하다
- [ ] 해조

3일 자연재해

- ☐ 구조대
- ☐ 긴급하다
- ☐ 대응
- ☐ 산사태
- ☐ 이재민
- ☐ 재난
- ☐ 특보
- ☐ 폭우
- ☐ 해일

4일 전쟁

- ☐ 군인
- ☐ 무기
- ☐ 위협
- ☐ 전략
- ☐ 종전
- ☐ 침략하다
- ☐ 파괴
- ☐ 포로
- ☐ 휴전

5일 어휘 복습

아는 어휘　　　　　개 / 모르는 어휘　　　　　개

쓰레기

'쓰레기'와 관련 있는 어휘와 그 뜻을 소리 내어 읽고, 어휘 그물을 살펴보며 빈칸에 알맞은 낱말을 쓰세요.

리

매

각

처리

쓰레기

가게 안에서는 일회용 컵을 쓸 수 없어요.

제

일

페트병

종이컵

악취

쓰레기장

| 기 | | | |

재활용

재생하다

| | | 경 |

쓰레기통까지
가기 귀찮아.

| 이 | | |

버리다

| | 낭 | |

어휘 읽기

2주

규제(規 법 규 制 절제할 제)**하다**
어떤 일을 법이나 규칙에 따라 못하게 막다.

기피(忌 꺼릴 기 避 피할 피)**하다**
어떤 것을 꺼리거나 싫어하여 피하다.

낭비(浪 함부로 낭 費 쓸 비)
시간, 노력, 돈 등을 함부로 쓰는 일.

매립(埋 묻을 매 立 설 립)
푹 파인 땅이나 강, 바다를 흙이나 돌로
채움.

분리배출(分 나눌 분 離 떠날 리
排 밀칠 배 出 날 출)
쓰레기 등을 종류별로 나누어서 버림.

소각(燒 불태울 소 却 물리칠 각)
어떤 것을 태워 없애는 것.

이기심
(利 이로울 이 己 몸 기 心 마음 심)
자기의 이익만을 생각하는 마음.

일회용품
(一 하나 일 回 돌 회 用 쓸 용 品 물건 품)
한 번만 쓰고 버리도록 만들어진 물건.

친환경
(親 친할 친 環 고리 환 境 지경 경)
자연환경을 더럽히지 않고 있는 그대로의
자연과 잘 어울려 사는 일.

✏️ 낱말이나 뜻을 읽고, 알맞은 낱말을 보기 에서 찾아 빈칸에 쓰세요.

보기	낭비	피하다	규칙	이기심	매립

① 규제하다: 어떤 일을 법이나 [　　　]에 따라 못하게 막다.

② [　　　]: 자기의 이익만을 생각하는 마음.

③ [　　　]: 시간, 노력, 돈 등을 함부로 쓰는 일.

④ [　　　]: 푹 파인 땅이나 강, 바다를 흙이나 돌로 채움.

⑤ 기피하다: 어떤 것을 꺼리거나 싫어하여 [　　　].

✏️ 글을 읽고, (　) 안에 들어갈 알맞은 낱말을 찾아 선으로 이으세요.

나무젓가락이나 종이컵은 (　　)이니 자주 사용하지 않는 것이 좋다. • — • 일회용품

환경을 위해 (　　) 에너지를 개발하고 있다. • — • 소각

쓰레기장에서 쓰레기를 (　　)하여 연기가 났다. • — • 분리배출

(　　)을 할 때는 같은 종류의 쓰레기끼리 모아서 버린다. • — • 친환경

✎ 그림을 보고, 떠오르는 낱말을 보기 에서 찾아 빈칸에 쓰세요.

보기   연기   자욱하다

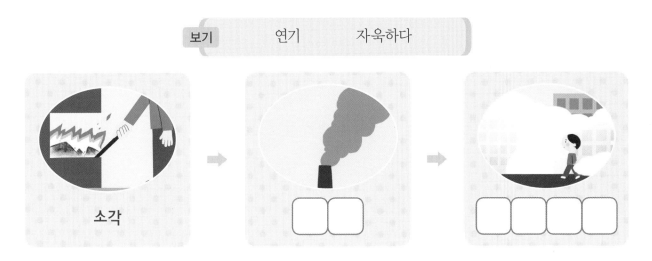

소각

유의어 · 반의어

✎ 낱말을 읽고, 낱말의 뜻이 서로 비슷하면 '='를, 반대이면 '↔'를 ○ 안에 쓰세요.

절약	○	낭비
친환경	○	환경친화
기피하다	○	위피하다
이기심	○	애타심

＊'위피하다'는 '꺼리거나 싫어하여 피하다'를, '애타심'은 '남을 사랑하는 마음'을 뜻해요.

한자어

✎ '피(避)'와 '배(排)'의 뜻을 읽고, 알맞은 낱말을 보기 에서 찾아 빈칸에 쓰세요.

보기   배구   피난   피서   배수구

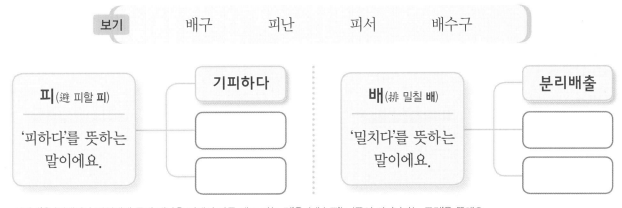

피(避 피할 피)

'피하다'를 뜻하는 말이에요.

기피하다

배(排 밀칠 배)

'밀치다'를 뜻하는 말이에요.

분리배출

＊'피난'은 '전쟁이나 자연재해 등의 재난을 피해서 다른 데로 가는 것'을, '배수구'는 '물이 빠져나가는 구멍'을 뜻해요.

2일

갯벌

'갯벌'과 관련 있는 어휘와 그 뜻을 소리 내어 읽고, 어휘 그물을 살펴보며 빈칸에 알맞은 낱말을 쓰세요.

간 [ ]

빠지다

발이 푹푹 빠져.

진 [ ]

[ ] 퍽 [ ] [ ]

김

해 [ ]

미역

물고기

[ ] [ ] 장

굴

소금

염　

바닷물

정화*

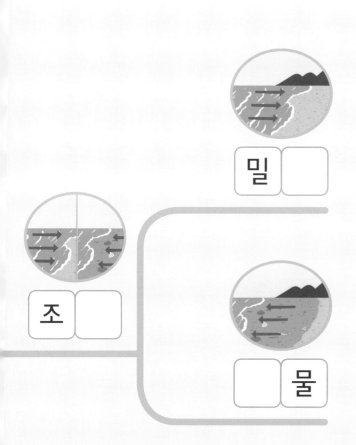

밀　

조　

　물

*정화: 더러운 것이나 순수하지 않은 것을 깨끗하게 함.

어휘 읽기

간척(干 막을 **간** 拓 넓힐 **척**)
바다나 호수를 둘러막고, 그 안에 흙을 메워
땅을 만드는 것.

밀물
바닷물이 육지 쪽으로 밀려오는 것.
또는 그 바닷물.

썰물
바닷물이 먼 바다로 밀려가는 것.
또는 그 바닷물.

양식장
(養 기를 **양** 殖 불릴 **식** 場 마당 **장**)
사람이 물고기나 김, 굴 같은 것을 기를 수
있도록 만든 곳.

염전(鹽 소금 **염** 田 밭 **전**)
소금을 만들려고 바닷물을 끌어 들여
밭처럼 만든 곳.

조수(潮 조수 **조** 水 물 **수**)
밀물과 썰물을 통틀어 부르는 말.

진흙
붉고 물기가 많아 질퍽질퍽한 흙.

질퍽하다
반죽이나 진흙 같은 것이 물기가 많아
부드럽게 질다.

해조(海 바다 **해** 藻 마름 **조**)
미역, 다시마, 김 등과 같이 바다에서
나는 풀.

2
주

37

✎ 낱말을 읽고, 알맞은 뜻을 찾아 선으로 이으세요.

조수 •

• 밀물과 썰물을 통틀어 부르는 말.

썰물 •

• 바닷물이 먼 바다로 밀려가는 것. 또는 그 바닷물.

밀물 •

• 미역, 다시마, 김 등과 같이 바다에서 나는 풀.

해조 •

• 바닷물이 육지 쪽으로 밀려오는 것. 또는 그 바닷물.

✎ 글을 읽고, 바른 문장이 되도록 알맞은 낱말을 보기 에서 찾아 빈칸에 쓰세요.

보기   간척   염전   질퍽하다   진흙   양식장

① 비가 많이 내려서 땅이 [   ].

② 수희네 마을은 [   ] 사업으로 땅이 넓어졌다.

③ 기찬이네 집은 굴을 기르는 [   ]을 한다.

④ [   ]에서 소금 만드는 체험을 했다.

⑤ 옛날에는 [   ]과 짚을 섞어 벽에 발랐다.

한자어

✎ '염(鹽)'과 '해(海)'의 뜻을 읽고, 알맞은 낱말을 보기 에서 찾아 빈칸에 쓰세요.

보기   염분   동해   해수   천일염

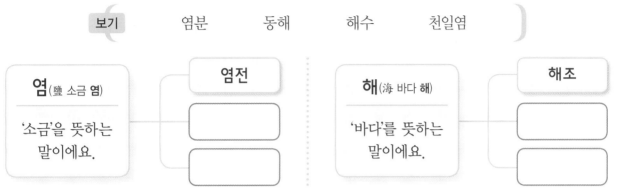

염(鹽 소금 염)

'소금'을 뜻하는 말이에요.

염전

해(海 바다 해)

'바다'를 뜻하는 말이에요.

해조

＊'염분'은 '소금 성분'을, '해수'는 '바닷물'을, '천일염'은 '햇볕과 바람으로 바닷물을 말려서 만든 소금'을 뜻해요.

동음이의어

✎ 글을 읽고, 밑줄 친 낱말의 뜻을 보기 에서 찾아 알맞은 기호를 빈칸에 쓰세요.

보기
㉠ 조수(潮 조수 **조** 水 물 **수**): 밀물과 썰물을 통틀어 부르는 말.
㉡ 조수(助 도울 **조** 手 손 **수**): 어떤 사람 밑에서 일을 도와주는 사람.

① 박사님은 연구소가 바빠지자 일을 도와줄 **조수**를 불렀다. ⋯⋯

② 달이 바닷물을 밀고 당겨 **조수**가 생긴다. ⋯⋯⋯⋯⋯⋯⋯⋯⋯

속담

✎ 만화를 보고, 상황에 맞는 말이 되도록 알맞은 낱말을 보기 에서 찾아 빈칸에 쓰세요.

보기   바닷물   수돗물

온 ☐☐☐ 을 다 켜야 맛이냐

▶속담 '온 바닷물을 다 켜야 맛이냐'는 '무슨 일이든 끝장을 보지 않으면 손을 놓지 않는, 욕심이 많은 사람'을 뜻해요.

스스로 평가 😆 🙂 😟

39

3일

자연재해

'자연재해'와 관련 있는 어휘와 그 뜻을 소리 내어 읽고, 어휘 그물을 살펴보며 빈칸에 알맞은 낱말을 쓰세요.

지진

홍수

폭[ ]

재[ ]

[ ]일

산[ ][ ]

[ ]조[ ]

[ ][ ]민

구조하다

자연재해

2
주

대피하다

119죠?

대 □

□ 보

극복하다

피해

복구하다*

대비하다*

긴 □ □ □

상태

두렵다

구조대
(救 구원할 **구** 助 도울 **조** 隊 무리 **대**)
목숨이 위태롭거나 어려움에 빠진 사람을
구하는 조직.

긴급(緊 긴할 **긴** 急 급할 **급**)**하다**
아주 중요하고 급하다.

대응(對 대할 **대** 應 응할 **응**)
어떤 일이나 상황에 맞게 행동하는 것.

산사태
(山 산 **산** 沙 모래 **사** 汰 미끄러울 **태**)
큰비나 지진 등으로 산에서 돌과 흙이
무너져 내리는 것.

이재민
(罹 근심 **이** 災 재앙 **재** 民 백성 **민**)
홍수, 산불 등의 재해로 피해를 입은 사람.

재난(災 재앙 **재** 難 어려울 **난**)
뜻밖에 일어난 불행한 일.

특보(特 특별할 **특** 報 알릴 **보**)
신문이나 텔레비전, 라디오 등을 통하여
사람들에게 특별히 알리는 소식.

폭우(暴 사나울 **폭** 雨 비 **우**)
갑자기 세차게 쏟아지는 비.

해일(海 바다 **해** 溢 넘칠 **일**)
갑자기 바닷물이 크게 일어서 육지로
넘쳐 들어오는 것.

*대비하다: 앞으로 일어날 수 있는 어려운 상황에 대해 미리 준비하다.
*복구하다: 고장 나거나 파괴된 것을 이전의 상태로 되돌리다.

41

✏️ 뜻을 읽고, 알맞은 낱말을 보기 에서 찾아 빈칸에 쓰세요.

보기   해일   대응   폭우   산사태

큰비나 지진 등으로 산에서 돌과 흙이 무너져 내리는 것. [   ]

갑자기 세차게 쏟아지는 비. [   ]

어떤 일이나 상황에 맞게 행동하는 것. [   ]

갑자기 바닷물이 크게 일어서 육지로 넘쳐 들어오는 것. [   ]

✏️ 글을 읽고, (   ) 안에 들어갈 알맞은 낱말을 찾아 선으로 이으세요.

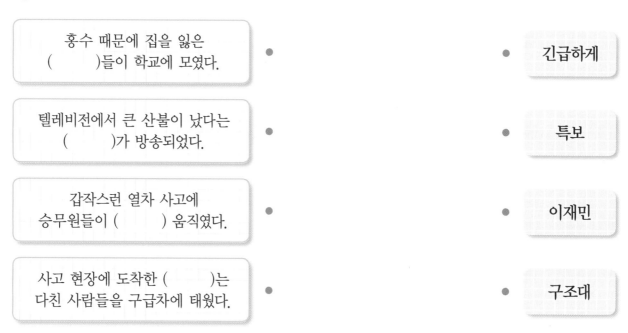

홍수 때문에 집을 잃은 (   )들이 학교에 모였다.   •   • 긴급하게

텔레비전에서 큰 산불이 났다는 (   )가 방송되었다.   •   • 특보

갑작스런 열차 사고에 승무원들이 (   ) 움직였다.   •   • 이재민

사고 현장에 도착한 (   )는 다친 사람들을 구급차에 태웠다.   •   • 구조대

연상 어휘

✏️ 그림을 보고, 떠오르는 낱말을 보기 에서 찾아 빈칸에 쓰세요.

보기　　　극복하다　　　의지

재난

이겨낼 거야.

상위어 · 하위어

✏️ 낱말을 읽고, 알맞은 낱말을 보기 에서 찾아 빈칸에 쓰세요.

보기　　　폭우　　　재난

산사태	화재	홍수

비

소나기	보슬비	

속담

✏️ 만화를 보고, 상황에 맞는 말이 되도록 알맞은 낱말을 보기 에서 찾아 빈칸에 쓰세요.

보기　　　사막　　　하늘

산사태로 재산을 다 잃었어.

사람들이 성금을 모았으니 힘내세요!

감사합니다.

☐☐이 무너져도 솟아날 구멍이 있다

▶속담 '하늘이 무너져도 솟아날 구멍이 있다'는 '아무리 어려운 경우에 처하더라도 살아 나갈 방법이 생긴다'는 뜻이에요.

스스로 평가 😄 🙂 😞

43

4일

전쟁

'전쟁'과 관련 있는 어휘와 그 뜻을 소리 내어 읽고, 어휘 그물을 살펴보며 빈칸에 알맞은 낱말을 쓰세요.

쳐들어가자!

□괴

□□하□

위□

부상병

□로

□인

어떻게 하면 전쟁에서 이길 수 있을까?

□략

전쟁

44

철수하다*

휴 ☐

휴전선

협상*

종 ☐

평화

총

☐ 기

폭탄

대포

전쟁을 잠시 멈춥시다.

전쟁을 끝냅시다.

*철수하다: 있던 곳에서 시설이나 장비 등을 거두어서 물러나다.
*협상: 생각이 다른 사람이나 단체가 어떤 문제를 해결하기 위해 함께 의논함.

어휘 읽기

2
주

군인(軍 군사 **군**　人 사람 **인**)
군대에 속하여 훈련을 받고 임무를 맡아 하는 사람.

무기(武 굳셀 **무**　器 도구 **기**)
전쟁이나 싸움을 할 때 사용되는 기구.

위협(威 위엄 **위**　脅 위협할 **협**)
무서운 말이나 행동으로 두려움을 느끼도록 겁을 주는 것.

전략(戰 싸울 **전**　略 다스릴 **략**)
싸움이나 전쟁에서 이기거나 어떤 일을 잘하려고 세우는 계획.

종전(終 끝날 **종**　戰 싸울 **전**)
전쟁이 끝나는 것.

침략(侵 침노할 **침**　掠 노략질할 **략**)**하다**
다른 나라에 쳐들어가 강제로 땅이나 물건 등을 빼앗다.

파괴(破 깨뜨릴 **파**　壞 무너질 **괴**)
어떤 것을 부수거나 무너뜨리는 것.

포로(捕 사로잡을 **포**　虜 사로잡을 **로**)
사로잡은 적군.

휴전(休 쉴 **휴**　戰 싸울 **전**)
하던 전쟁을 서로 의논하여 얼마 동안 멈추는 것.

낱말을 읽고, 알맞은 뜻을 찾아 선으로 이으세요.

침략하다 •		무서운 말이나 행동으로 두려움을 느끼도록 겁을 주는 것.
위협 •		다른 나라에 쳐들어가 강제로 땅이나 물건 등을 빼앗다.
휴전 •		군대에 속하여 훈련을 받고 임무를 맡아 하는 사람.
군인 •		하던 전쟁을 서로 의논하여 얼마 동안 멈추는 것.

글을 읽고, 바른 문장이 되도록 알맞은 낱말을 보기 에서 찾아 빈칸에 쓰세요.

보기   종전   포로   파괴   전략   무기

① 적군은 총과 대포를 [   ]로 가지고 있었다.

② 대통령은 전쟁이 끝났다는 [   ]을 선언했다.

③ [   ]을 잘 짜야 경쟁에서 이길 수 있다.

④ 많은 전쟁 [   ]들이 수용소에 갇혀 있다.

⑤ 그들은 미사일로 도시를 모두 [   ]했다.

한자어

✎ '전(戰)'과 '침(侵)'의 뜻을 읽고, 알맞은 낱말을 보기 에서 찾아 빈칸에 쓰세요.

보기   휴전   전투   침범   침입

전(戰 싸울 전)

'싸우다'를 뜻하는 말이에요.

전략

침(侵 침노할 침)

'침노하다'를 뜻하는 말이에요.

침략하다

*'침노하다'는 '남의 나라를 불법으로 쳐들어가다'를, '침범'은 '남의 땅이나 나라, 권리, 재산 등을 범하여 손해를 끼침'을 뜻해요.

유의어

✎ 낱말을 읽고, 비슷한말을 보기 에서 찾아 빈칸에 쓰세요.

보기   병기   협박

위협 =   무기 =

*'협박'은 '남에게 억지로 어떤 일을 하도록 겁을 주는 것'을, '병기'는 '전쟁에 쓰이는 기구'를 뜻해요.

속담

✎ 만화를 보고, 상황에 맞는 말이 되도록 알맞은 낱말을 보기 에서 찾아 빈칸에 쓰세요.

보기   고래   상어

당신, 지금 밥이 중요해?

그래, 지금 밥이 문제가 아니지.

엄마, 아빠, 저는 배고파요.

➡ ☐☐ 싸움에 새우 등 터진다

▶속담 '고래 싸움에 새우 등 터진다'는 '강한 자들이 싸우는 틈에서 아무 상관없는 약한 자가 해를 입는다'는 뜻이에요.

스스로 평가 😄 🙂 😣

📖 국어 낱말을 읽고, 알맞은 뜻을 찾아 선으로 이으세요.

산사태 •

• 시간, 노력, 돈 등을 함부로 쓰는 일.

낭비 •

• 큰비나 지진 등으로 산에서 돌과 흙이 무너져 내리는 것.

특보 •

• 신문이나 텔레비전, 라디오 등을 통하여 사람들에게 특별히 알리는 소식.

📖 국어 글을 읽고, 바른 문장이 되도록 알맞은 낱말을 보기 에서 찾아 빈칸에 쓰세요.

| 보기 | 근방 | 대응 | 재난 | 썰물 | 발버둥 |

① 나라에 큰 [   ]이 닥쳤지만 국민들이 힘을 모아 해결했다.

② 큰불이 났지만 신속하게 [   ]을 해서 피해가 적었다.

③ [   ] 때에는 넓은 갯벌이 드러난다.

④ 동생은 엄마가 과자를 사 주지 않는다고 [   ]을 치며 울었다.

⑤ 우리 집 [   ]에 편의점이 생겨서 편리해졌다.

＊'근방'은 '어떤 곳에서 가까운 곳'을, '발버둥'은 '주저앉거나 누워서 두 다리를 번갈아 뻗어 가면서 몸부림치는 일'을 뜻해요.

2
주

□ 수학 낱말이나 뜻을 읽고, 알맞은 낱말을 보기 에서 찾아 빈칸에 쓰세요.

보기   둔각   중심   신기록   사용량

① [   ] : 이미 있는 기록보다 뛰어난 새로운 기록.

② [   ] : 어떤 것을 쓰는 양.

③ 반지름: 원의 [   ]과 원 위의 한 점을 이은 선분.
   또는 그 선분의 길이.

④ [   ] : 90도보다 크고 180도보다 작은 각.

□ 사회 낱말을 읽고, 알맞은 뜻을 찾아 선으로 이으세요.

친환경 •   • 알려지지 않은 사실을
                                        찾아내거나 밝히려고
                                        자세히 살피는 것.

기피하다 •   • 자연환경을 더럽히지 않고
                                        있는 그대로의 자연과
                                        잘 어울려 사는 일.

긴급하다 •   • 어떤 것을 꺼리거나
                                        싫어하여 피하다.

탐색 •   • 아주 중요하고 급하다.

49

📖 과학 글을 읽고, 바른 문장이 되도록 알맞은 낱말을 보기 에서 찾아 빈칸에 쓰세요.

> 보기   분리   페트병   증발   종이

① 음료수를 담았던 [   ]으로 연필꽂이를 만들었다.

② 코끼리의 똥으로 [   ]를 만들 수 있다.

③ 섞여 있는 콩과 좁쌀을 체로 [   ]했다.

④ 햇빛과 바람으로 소금물을 [   ]시켜 소금을 얻는다.

＊'증발'은 '어떤 물질이 액체 상태에서 기체 상태로 변함'을 뜻해요.

📖 과학 낱말을 읽고, 알맞은 뜻을 찾아 선으로 이으세요.

혼합물 •　　　　　• 사람들을 병에 걸리게 하거나 음식을 썩게 하는 아주 작은 생물.

거름종이 •　　　　　• 여러 가지가 뒤섞여서 이루어진 것.

재생 종이 •　　　　　• 한 번 쓴 종이를 녹여서 다시 만든 종이.

세균 •　　　　　• 여러 물질이 혼합된 액체에서 녹지 않은 물질을 걸러 내는 종이.

'당랑거철'에 대한 글을 읽고, 물음에 답하세요.

당랑거철(螳螂拒轍)

옛날 중국에서 장공이라는 사람이 수레를 타고 사냥터로 가고 있었어요. 그런데 웬 벌레 한 마리가 앞발을 치켜들고 수레바퀴를 칠 듯이 덤벼들었지요. "도대체 저 맹랑한 벌레는 무엇이냐?" 장공이 묻자 수레를 모는 마부가 대답했어요. "저 벌레는 사마귀입니다. 앞으로 나아갈 줄만 알고 물러설 줄은 모르며, 제 힘은 생각지 못하고 마구 덤벼드는 버릇이 있습니다." 그러자 장공은 "저 벌레가 사람이라면 틀림없이 훌륭한 용사가 되었을 것이다. 비록 작은 벌레이지만 그 용기가 기특하니, 수레를 돌려서 피해 가도록 하여라." 하고 말했어요. 이 이야기에서 유래된 말인 '당랑거철(螳螂拒轍)'은 '螳(사마귀 당)', '螂(사마귀 랑)', '拒(막을 거)', '轍(바퀴 자국 철)' 자를 써서, '사마귀가 앞발을 들고 수레바퀴를 막는다'는 뜻이에요. '자기 분수를 모르고 상대가 되지 않는 사람이나 일에 덤벼드는 무모한 행동'을 비유적으로 이르는 말이지요.

1. '자기 분수를 모르고 상대가 되지 않는 사람이나 일에 덤벼드는 무모한 행동'을 뜻하는 사자성어를 빈칸에 쓰세요.

2. '당랑거철'의 뜻을 생각하며, '당랑거철'이 들어간 짧은 글짓기를 하세요.

알쏭달쏭 그림 찾기

💡 아래에서 설명하는 낱말을 모두 찾아 좋아하는 색으로 칠하세요.

① 어떤 것을 부수거나 무너뜨리는 것.

② 홍수, 산불 등의 재해로 피해를 입은 사람.

③ 갑자기 바닷물이 크게 일어서 육지로 넘쳐 들어오는 것.

④ 자기 이익만을 생각하는 마음.

⑤ 어떤 것을 태워 없애는 것.

⑥ 갑자기 세차게 쏟아지는 비.

⑦ 목숨이 위태롭거나 어려움에 빠진 사람을 구하는 조직.

⑧ 한 번만 쓰고 버리도록 만들어진 물건.

⑨ 바다나 호수를 둘러막고, 그 안에 흙을 메워 땅을 만드는 것.

⑩ 소금을 만들려고 바닷물을 끌어 들여 밭처럼 만든 곳.

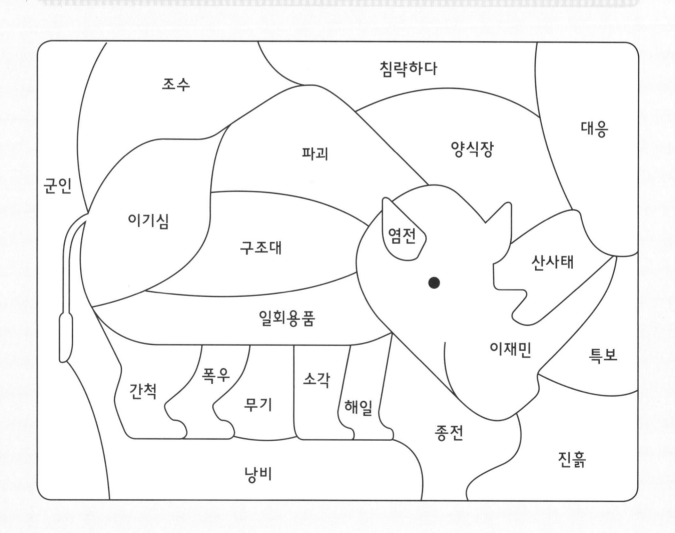

관심 있는 주제를 가운데 동그라미에 쓰고, 어휘들을
자유롭게 적으며 나만의 어휘 그물을 만들어 보세요.

내가 만드는
어휘 그물

2
주

3주

이번 주에 공부할 어휘들이에요.
어휘를 살펴보고,
알고 있는 어휘에 ✔를 하세요.
공부할 날짜를 쓰며
학습 계획도 세워 보세요.

1일 물체

📖 공부할 날   월   일

☐ 거칠다   ☐ 광택   ☐ 금속

☐ 매끄럽다   ☐ 물질   ☐ 질감

☐ 질량   ☐ 플라스틱   ☐ 형태

2일 자석

📖 공부할 날   월   일

☐ 극   ☐ 극지방   ☐ 끌어당기다

☐ 대장장이   ☐ 막대자석   ☐ 말굽자석

☐ 자기력   ☐ 자기장   ☐ 철물점

3일 달

- ☐ 구덩이
- ☐ 울퉁불퉁하다
- ☐ 월식
- ☐ 일식
- ☐ 중력
- ☐ 착륙하다
- ☐ 초승달
- ☐ 충돌하다
- ☐ 탐사선

4일 과학자

- ☐ 몰두하다
- ☐ 비범하다
- ☐ 실험
- ☐ 연구실
- ☐ 유식하다
- ☐ 지식
- ☐ 추리
- ☐ 파고들다
- ☐ 호기심

5일 어휘 복습

아는 어휘   개 / 모르는 어휘   개

어휘 그물

물체

'물체'와 관련 있는 어휘와 그 뜻을 소리 내어 읽고, 어휘 그물을 살펴보며 빈칸에 알맞은 낱말을 쓰세요.

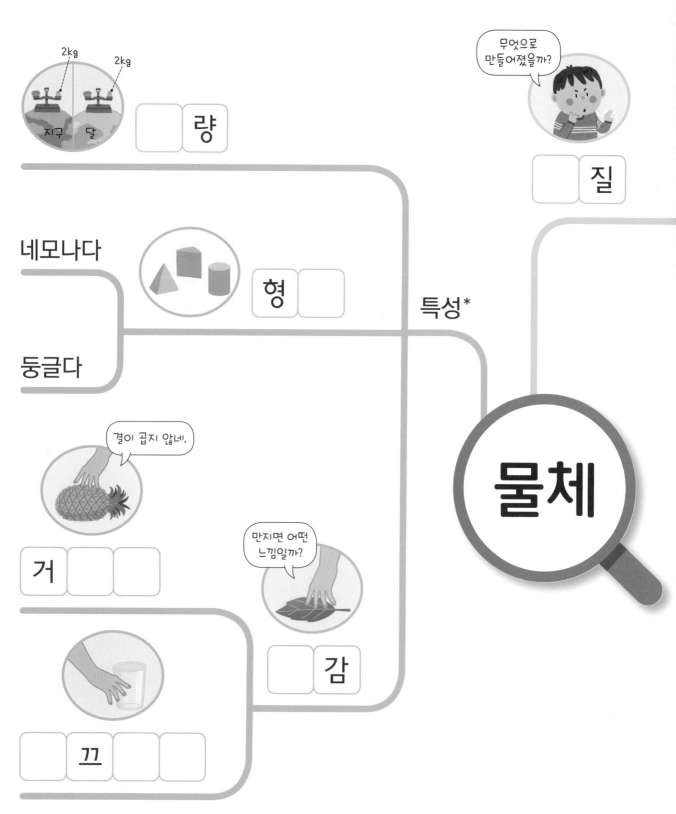

2kg 2kg
지구 달

□ 량

무엇으로 만들어졌을까?

□ 질

네모나다

형 □

둥글다

특성*

결이 곱지 않네.

거 □ □

만지면 어떤 느낌일까?

□ 감

물체

끄 □ □

가연성*

나무

나뭇결

플 ☐ ☐ ☐

단단하다

금 ☐

☐ 택

어휘 읽기

3
주

거칠다
겉이 곱거나 부드럽지 않다.

광택(光 빛 **광** 澤 윤 **택**)
물체가 빛을 받아 윤이 나고 반짝거리는 것.

금속(金 쇠 **금** 屬 무리 **속**)
철, 금, 은과 같은 쇠를 통틀어 부르는 말.

매끄럽다
살갗에 닿는 느낌이 미끄러지듯 부드럽다.

물질(物 물건 **물** 質 바탕 **질**)
물체를 이루고 있는 재료. 또는 그 본바탕.

질감(質 바탕 **질** 感 느낄 **감**)
물체의 표면에서 느껴지는 성질.

질량(質 바탕 **질** 量 헤아릴 **량**)
물체가 가지고 있는 고유의 양.

플라스틱
열이나 힘을 가해 쉽게 모양을 만들 수
있는 물질.

형태(形 모양 **형** 態 모습 **태**)
사물의 생김새나 모양.

✎ 뜻을 읽고, 알맞은 낱말을 보기 에서 찾아 빈칸에 쓰세요.

보기	금속	질감	형태	플라스틱

열이나 힘을 가해 쉽게 모양을 만들 수 있는 물질.

만지면 어떤 느낌일까?

물체의 표면에서 느껴지는 성질.

사물의 생김새나 모양.

철, 금, 은과 같은 쇠를 통틀어 부르는 말.

✎ 글을 읽고, 바른 문장이 되도록 알맞은 낱말을 찾아 ○ 하세요.

① 고무줄은 고무라는 (**물질**, **비율**)로 만들어졌다.

② 윗접시 저울로 물컵의 (**특성**, **질량**)을 쟀다.

③ 블라우스의 감촉이 (**매끄럽다**, **미숙하다**).

④ 구두를 깨끗이 닦자 번쩍번쩍 (**광택**, **관찰**)이 났다.

⑤ 겨울 내내 밖에서 놀았더니 피부가 (**단단해졌다**, **거칠어졌다**).

상위어

✍️ 낱말을 읽고, 포함하는 말을 보기 에서 찾아 빈칸에 쓰세요.

보기　　　형태　　　물질

도형　　　몸자세　　　모습

나무　　　유리　　　고무

동음이의어

✍️ 글을 읽고, 밑줄 친 낱말의 뜻을 보기 에서 찾아 알맞은 기호를 빈칸에 쓰세요.

보기
ㄱ 매끄럽다: 살갗에 닿는 느낌이 미끄러지듯 부드럽다.
ㄴ 매끄럽다: 글이나 말에 조리가 있고 거침이 없다.

① 수진이는 말을 참 **매끄럽게** 잘한다. ……………

② 연필의 나무 부분을 **매끄럽게** 깎았다. ……………

③ 영훈이가 쓴 그림책은 글의 흐름이 **매끄럽고** 재미있다. ……

한자어

✍️ '태(態)'와 '량(量)'의 뜻을 읽고, 알맞은 낱말을 보기 에서 찾아 빈칸에 쓰세요.

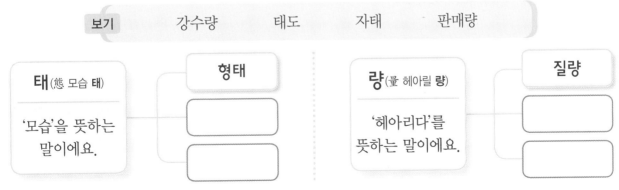

보기　　　강수량　　　태도　　　자태　　　판매량

태(態 모습 태)

'모습'을 뜻하는 말이에요.

형태

량(量 헤아릴 량)

'헤아리다'를 뜻하는 말이에요.

질량

*'자태'는 '보기 좋은 모습'을, '판매량'은 '일정한 기간 동안 상품이 팔린 양'을 뜻해요.

2일

자석

'자석'과 관련 있는 어휘와 그 뜻을 소리 내어 읽고, 어휘 그물을 살펴보며 빈칸에 알맞은 낱말을 쓰세요.

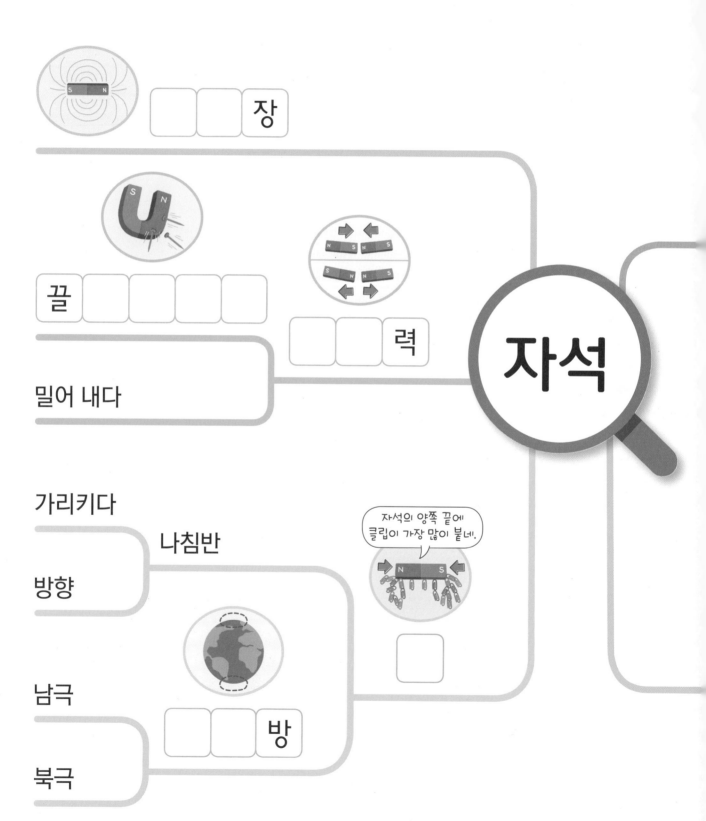

□□ 장

끌 □ □ □ □

밀어 내다

□ □ 력

자석

가리키다

나침반

방향

남극

북극

□ □ 방

자석의 양쪽 끝에 클립이 가장 많이 붙네.

어휘 읽기

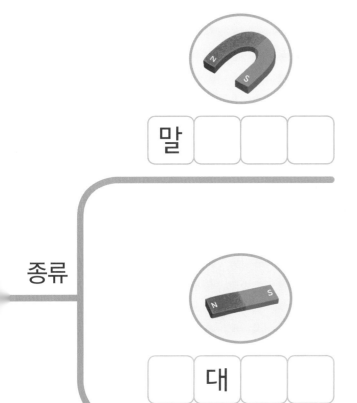

말 ☐ ☐ ☐

종류

☐ 대 ☐ ☐

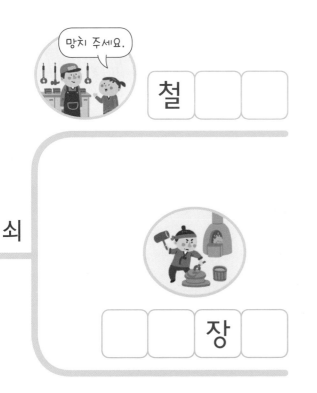

철 ☐ ☐

쇠

☐ ☐ 장

극(極 다할 **극**)
자석의 양쪽 끝으로, 쇠붙이를 끌어당기는 힘이 가장 센 부분.

극지방(極 다할 **극** 地 땅 **지** 方 방위 **방**)
남극과 북극을 중심으로 한 그 주변 지역.

끌어당기다
끌어서 가까이 오게 하다.

대장장이
대장간에서 쇠를 달구어 낫이나 호미 같은 연장을 만드는 사람.

막대자석(磁 자석 **자** 石 돌 **석**)
막대 모양의 길쭉한 자석.

말굽자석(磁 자석 **자** 石 돌 **석**)
말굽 모양으로 구부려 만든 자석.

자기력(磁 자석 **자** 氣 기운 **기** 力 힘 **력**)
자석끼리 서로 끌어당기거나 밀어 내는 힘. 또는 자석이 쇠붙이를 끌어당기는 힘.

자기장(磁 자석 **자** 氣 기운 **기** 場 마당 **장**)
자석의 힘이 미치는 공간.

철물점(鐵 쇠 **철** 物 물건 **물** 店 가게 **점**)
못, 철사, 망치, 톱과 같은 쇠로 만든 물건을 파는 가게.

✎ 낱말을 읽고, 알맞은 뜻을 찾아 선으로 이으세요.

자기장 •

대장장이 •

말굽자석 •

극 •

• 자석의 힘이 미치는 공간.

• 자석의 양쪽 끝으로, 쇠붙이를 끌어당기는 힘이 가장 센 부분.

• 대장간에서 쇠를 달구어 낫이나 호미 같은 연장을 만드는 사람.

• 말굽 모양으로 구부려 만든 자석.

✎ 글을 읽고, 바른 문장이 되도록 알맞은 낱말을 보기 에서 찾아 빈칸에 쓰세요.

보기   자기력   끌어당겼다   극지방   막대자석   철물점

① 자동차가 지나가자 엄마가 아이를 자기 쪽으로 [   ].

② [   ]을 갖다 대자 순식간에 철가루가 붙었다.

③ [   ]에 가서 망치와 못을 샀다.

④ 지구의 양쪽 끝에 있는 [   ]은 일 년 내내 매우 춥다.

⑤ [   ]이 센 자석일수록 쇠가 잘 달라붙는다.

62

연상 어휘

그림을 보고, 떠오르는 낱말을 보기 에서 찾아 빈칸에 쓰세요.

보기   북극   탐험하다

극지방

하위어

낱말을 읽고, 포함되는 말을 보기 에서 찾아 빈칸에 쓰세요.

보기   대장장이   철물점

상점
백화점   편의점   ☐

옛 직업
감투장이   짚신장이   ☐

*'편의점'은 '24시간 내내 문을 열고, 먹을거리나 물건을 파는 가게'를, '감투장이'는 '예전에 남자가 머리에 쓰던 모자인, 감투를 만드는 사람'을 뜻해요.

한자어

'철(鐵)'과 '자(磁)'의 뜻을 읽고, 알맞은 낱말을 보기 에서 찾아 빈칸에 쓰세요.

보기   철조망   자기장   지하철   자석

철(鐵 쇠 철)

'쇠'를 뜻하는 말이에요.

철물점

자(磁 자석 자)

'자석'을 뜻하는 말이에요.

자기력

*'철조망'은 '철로 만든 선을 그물처럼 엮어 놓은 물건이나 그것으로 둘러친 울타리'를 뜻해요.

스스로
평가   ☺ ☺ ☹

63

3일

달

'달'과 관련 있는 어휘와 그 뜻을 소리 내어 읽고, 어휘 그물을 살펴보며 빈칸에 알맞은 낱말을 쓰세요.

이륙하다*

탐 ☐ ☐

☐ 륙 ☐ ☐

그믐달

보름달

반달

☐ 승 ☐

모양

중 ☐

공이 아래로 떨어져.

공기

지구

물

달

표면

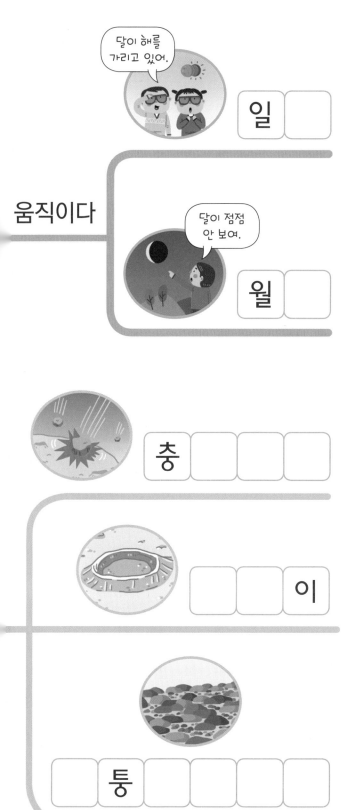

움직이다

달이 해를 가리고 있어.

일 ☐

달이 점점 안 보여.

월 ☐

충 ☐☐☐

☐☐ 이

☐ 툉 ☐☐☐

*이륙하다: 비행기 등이 날기 위해 땅에서 떠오르다.

어휘 읽기

구덩이
땅이 움푹하게 파인 곳.

울퉁불퉁하다
물체의 겉 부분이나 바닥이 판판하지 않고
여기저기 불룩 나오고 쑥 들어가 있다.

월식(月 달 **월** 蝕 갉아먹을 **식**)
달이 지구 그림자에 가려서 부분이나
전체가 보이지 않게 되는 현상.

일식(日 해 **일** 蝕 갉아먹을 **식**)
해가 달에 가려서 부분이나 전체가 보이지
않게 되는 현상.

중력(重 무거울 **중** 力 힘 **력**)
지구가 지구 위의 물체를 끌어당기는 힘.

착륙(着 붙을 **착** 陸 육지 **륙**)**하다**
비행기 등이 공중에서 땅으로 내리다.

초승(初 처음 **초** 生 날 **생**)**달**
음력으로 매달 첫째 날부터 며칠 동안 뜨는
둥근 눈썹 모양의 달. 초승달은 초생달이
변한 말.

충돌(衝 찌를 **충** 突 부딪칠 **돌**)**하다**
물체가 서로 세게 부딪치다.

탐사선(探 찾을 **탐** 査 조사할 **사** 船 배 **선**)
우주 공간에서 지구나 다른 행성들을
조사하기 위해 쏘아 올린 비행 물체.

3주

✏️ 뜻을 읽고, 알맞은 낱말을 보기 에서 찾아 빈칸에 쓰세요.

| 보기 | 초승달 | 일식 | 충돌하다 | 착륙하다 | 울퉁불퉁하다 |

음력으로 매달 첫째 날부터 며칠 동안 뜨는 둥근 눈썹 모양의 달.

물체의 겉 부분이나 바닥이 판판하지 않고 여기저기 불룩 나오고 쑥 들어가 있다.

비행기 등이 공중에서 땅으로 내리다.

해가 달에 가려서 부분이나 전체가 보이지 않게 되는 현상.

물체가 서로 세게 부딪치다.

✏️ 글을 읽고, 바른 문장이 되도록 알맞은 낱말을 찾아 ◯ 하세요.

① 호랑이가 산을 헤매다 (**구덩이**, **수증기**)에 빠지고 말았다.

② 과학자들은 우주로 (**쾌속선**, **탐사선**)을 쏘아 올렸다.

③ 달은 지구보다 (**일식**, **중력**)이 약해서 걷기가 어렵다.

④ 카메라로 달이 가려져 보이지 않는 (**월식**, **침식**)을 촬영했다.

연상 어휘

✎ 그림을 보고, 떠오르는 낱말을 보기 에서 찾아 빈칸에 쓰세요.

보기   매니큐어   손톱

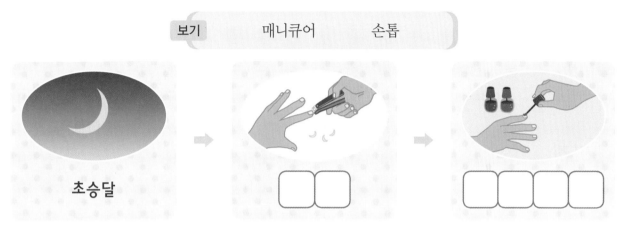

초승달

*'매니큐어'는 '손톱이나 발톱을 꾸미기 위해 색을 칠하는 화장품'을 뜻해요.

하위어

✎ 낱말을 읽고, 포함되는 말을 보기 에서 찾아 빈칸에 쓰세요.

보기   초승달   중력

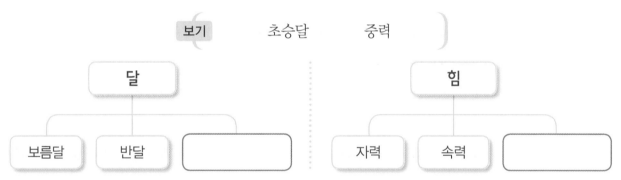

달

보름달   반달   ☐

힘

자력   속력   ☐

*'자력'은 '자기 스스로의 힘'을, '속력'은 '물체나 일이 진행되는 빠르기의 크기. 또는 그런 빠르기를 이루는 힘'을 뜻해요.

속담

✎ 만화를 보고, 상황에 맞는 말이 되도록 알맞은 낱말을 보기 에서 찾아 빈칸에 쓰세요.

보기   물   달

➡ ☐ 보고 짖는 개

▶ 속담 '달 보고 짖는 개'는 '남의 일에 대하여 잘 알지도 못하면서 떠들어 대는 사람'을 뜻해요.

스스로
평가 😄 ☺ 😞

67

과학자

'과학자'와 관련 있는 어휘와 그 뜻을 소리 내어 읽고, 어휘 그물을 살펴보며 빈칸에 알맞은 낱말을 쓰세요.

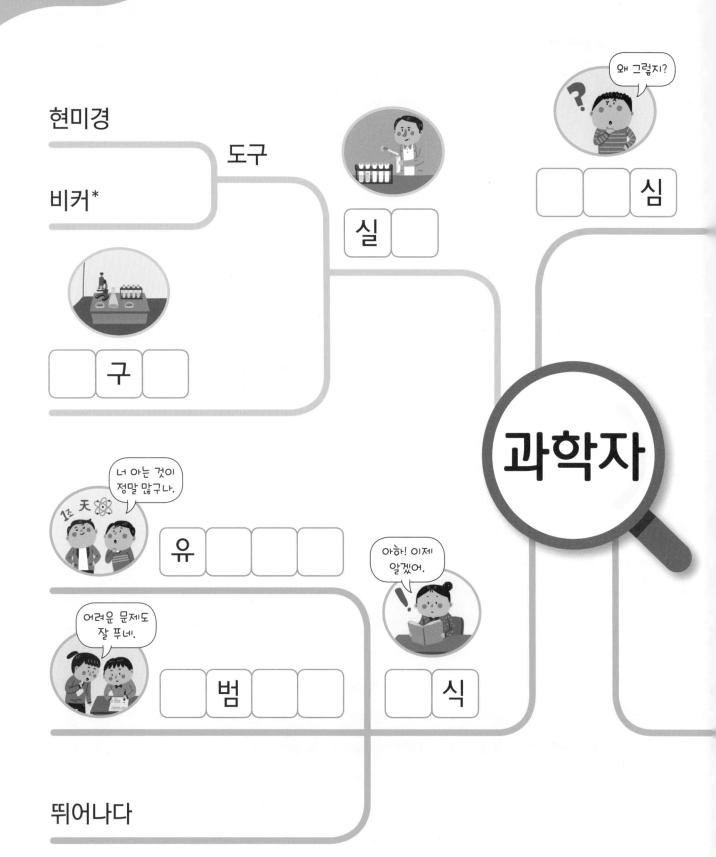

현미경

도구

비커*

실 □

□ 구 □

□ □ 심

왜 그럴지?

너 아는 것이 정말 많구나.

유 □ □ □

어려운 문제도 잘 푸네.

□ 범 □ □

아하! 이제 알겠어.

□ 식

과학자

뛰어나다

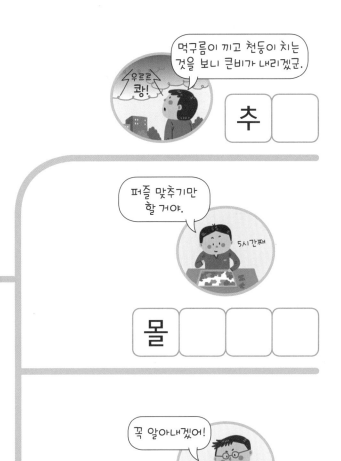

인내*

연구하다

발전하다

*비커: 화학 실험을 할 때 사용하는 원통 모양의 유리그릇.
*인내: 괴로움이나 어려움을 참고 견디는 것.

어휘 읽기

몰두(沒 잠길 **몰** 頭 머리 **두**)**하다**
다른 일에 관심을 가지지 않고 한 가지 일에만 집중하다.

비범(非 아닐 **비** 凡 보통 **범**)**하다**
보통 수준보다 훨씬 뛰어나다.

실험(實 열매 **실** 驗 시험 **험**)
과학에서 어떤 이론이 옳은지 알기 위해 관찰하고 측정하는 것.

연구실
(研 연구할 **연** 究 연구할 **구** 室 집 **실**)
어떤 연구를 전문으로 하기 위하여 학교나 기관에 설치한 방.

유식(有 있을 **유** 識 알 **식**)**하다**
배워서 아는 것이 많다.

지식(知 알 **지** 識 알 **식**)
어떤 대상에 대하여 배우거나 직접 경험하여 알게 된 내용.

추리(推 추측할 **추** 理 다스릴 **리**)
알고 있는 사실들을 바탕으로 알지 못하는 것을 미루어 생각하는 것.

파고들다
어떤 것을 알아내려고 몹시 노력하다.

호기심
(好 좋을 **호** 奇 기이할 **기** 心 마음 **심**)
새롭고 신기한 것을 좋아하거나 모르는 것을 알고 싶어 하는 마음.

✍️ 낱말을 읽고, 알맞은 뜻을 찾아 선으로 이으세요.

| 지식 | • | • | 어떤 것을 알아내려고 몹시 노력하다. |

| 연구실 | • | • | 보통 수준보다 훨씬 뛰어나다. |

| 파고들다 | • | • | 어떤 대상에 대하여 배우거나 직접 경험하여 알게 된 내용. |

| 비범하다 | • | • | 어떤 연구를 전문으로 하기 위하여 학교나 기관에 설치한 방. |

✍️ 글을 읽고, 바른 문장이 되도록 알맞은 낱말을 보기 에서 찾아 빈칸에 쓰세요.

보기   호기심   몰두하여   추리   실험   유식해서

① 담당 형사의 날카로운 [   ]로 사건을 잘 해결했다.

② 에디슨은 어려서부터 [   ]이 많아 엉뚱한 행동을 자주 했다.

③ 과학 시간에 공룡 화석 만들기 [   ]을 했다.

④ 민수는 책 읽기에 [   ] 친구가 부르는 소리를 듣지 못했다.

⑤ 대희는 워낙 [   ] 어떤 질문에도 척척 대답해 준다.

＊'형사'는 '범죄를 수사하고 범인을 체포하는 등의 일을 하기 위하여 제복이 아닌 보통 옷을 입은 경찰관'을 뜻해요.

✎ 그림을 보고, 떠오르는 낱말을 보기 에서 찾아 빈칸에 쓰세요.

보기   돋보기   탐정

추리

✎ '지(知)'와 '몰(沒)'의 뜻을 읽고, 알맞은 낱말을 보기 에서 찾아 빈칸에 쓰세요.

보기   인지도   침몰   일몰   지혜

지(知 알 지)

'알다'를 뜻하는 말이에요.

지식

몰(沒 잠길 몰)

'잠기다'를 뜻하는 말이에요.

몰두하다

＊'인지도'는 '어떤 사람이나 물건을 알아보는 정도'를, '침몰'은 '물속에 가라앉음'을, '일몰'은 '해가 짐'을 뜻해요.

✎ 낱말을 읽고, 낱말의 뜻이 서로 비슷하면 '='를, 반대이면 '↔'를 ○ 안에 쓰세요.

몰두하다 ◯ 골몰하다   비범하다 ◯ 평범하다

추리 ◯ 추론   유식하다 ◯ 무식하다

＊'골몰하다'는 '한 가지 일이나 생각에만 집중하다'를, '추론'은 '미루어 생각하여 옳고 그름을 따지는 것'을 뜻해요.

스스로 평가 😁 🙂 🙁

국어 뜻을 읽고, 알맞은 낱말을 보기 에서 찾아 빈칸에 쓰세요.

보기   호기심   탐구   실험

과학에서 어떤 이론이 옳은지
알기 위해 관찰하고 측정하는 것.

필요한 것을 조사하여 찾아내거나
얻어 내는 것.

새롭고 신기한 것을 좋아하거나
모르는 것을 알고 싶어 하는 마음.

국어 글을 읽고, 바른 문장이 되도록 알맞은 낱말을 찾아 ◯ 하세요.

① 아기가 (이상, 울상)을 짓더니 큰 소리로 울기 시작했다.

② 나는 일요일을 월요일로 (충돌, 착각)하여 헐레벌떡 학교로 갔다.

③ 동생은 나를 보자마자 무언가를 (꾸르륵, 후다닥) 감추었다.

④ 하은이는 피아노 연습을 하다 말고 (딴전, 표정)을 부렸다.

⑤ 재환이는 침대에 누워 창밖만 (물끄러미, 왁자지껄) 바라보았다.

*'울상'은 '울려고 하는 얼굴 모양'을, '후다닥'은 '갑자기 빠르게 뛰거나 몸을 움직이는 모양'을, '딴전'은 '앞에서 일어나는 일과 전혀 관계없는 일이나 행동'을, '물끄러미'는 '가만히 한곳만 바라보는 모양'을 뜻해요.

3주

수학 [보기]의 낱말 뜻을 읽고, 바른 문장이 되도록 알맞은 낱말을 찾아 선으로 이으세요.

[보기]
- 각도기(角 뿔 **각** 度 법도 **도** 器 도구 **기**): 각도를 재는 도구.
- 예각(銳 날카로울 **예** 角 뿔 **각**): 0도보다 크고 90도보다 작은 각.

삼각형의 세 각도를
(   )로 재어 봐.   •

• 각도기

정삼각형의 세 각의 크기는
각각 60도로 모두 (   )이야.   •

• 예각

(   )와 자를 이용하여
직각을 그렸어.   •

사회 글을 읽고, 바른 문장이 되도록 알맞은 낱말을 [보기]에서 찾아 빈칸에 쓰세요.

[보기]   답사   노선도   형태   특징   약도

① 종이 지도, 디지털 지도 등 여러 가지 [   ]의 지도가 있다.

② 모둠별로 [   ]할 장소를 정했다.

③ 공원 시설물의 위치를 알려면 공원 [   ]를 보면 된다.

④ 중심지는 교통이 편리하고, 상점이 많다는 [   ]이 있다.

⑤ 어느 역에서 내려야 하는지 지하철 [   ]를 보았다.

*'답사'는 '어떤 곳에 직접 찾아가 조사하는 것'을, '노선도'는 '버스나 지하철 등이 다니는 길을 선으로 간단하게 나타낸 지도'를, '약도'는 '간략하게 중요한 것만 그린 지도'를 뜻해요.

📖 과학 글을 읽고, 바른 문장이 되도록 알맞은 낱말을 보기 에서 찾아 빈칸에 쓰세요.

| 보기 | 무리 | 플라스틱 | 궁금증 | 거칠다 |

① 과학자들은 [ ]을 해결하려고 끊임없이 질문하고 연구한다.

② [ ] 접시에 땅콩을 놓고 자유롭게 관찰했다.

③ 손으로 나무 표면을 만지면 [ ].

④ 한 가지 특징을 기준으로 공룡을 두 [ ]로 나눴다.

＊'무리'는 '사람이나 동물 등이 하나로 모여서 뭉친 것'을, '궁금증'은 '무엇이 무척 알고 싶어 몹시 답답하고 안타까운 마음'을 뜻해요.

📖 과학 낱말을 읽고, 알맞은 뜻을 찾아 선으로 이으세요.

| 예상 • | | • 현재 나타나 보이는 상태. |

| 현상 • | | • 도구나 장치를 이용하여 길이, 높이, 무게 등을 재는 것. |

| 추리 • | | • 앞으로 일어날 수 있는 일이나 상황을 생각하는 것. |

| 측정 • | | • 알고 있는 사실들을 바탕으로 알지 못하는 것을 미루어 생각하는 것. |

74

'낭중지추'에 대한 글을 읽고, 물음에 답하세요.

낭중지추(囊中之錐)

　전국 시대 말기, 진나라의 침략을 받은 조나라는 평원군을 이웃 초나라에 보내 도움을 청하기로 했어요. 평원군의 집에는 식객*이 많았지요. 그래서 그중 학식과 무예가 뛰어난 사람들을 뽑아 초나라에 같이 가기로 했는데 마지막 한 명을 채우지 못했어요. 그때 모수라는 사람이 나서자 평원군은 "재주가 뛰어난 사람은 주머니 속에 있는 송곳과 같아서 그 끝이 금세 드러나는 법이오."라고 말하며 낯선 모수를 거절했어요. 그러자 모수는 "그래서 저를 주머니 속에 넣어 달라는 것입니다. 저를 일찍 주머니에 넣었더라면 그 끝만이 아니라 송곳 자루까지 밖으로 나왔을 것입니다."라고 하였어요. 결국 모수는 평원군과 함께 초나라로 가서 큰 역할을 했답니다. 이 이야기에서 유래된 '낭중지추'는 '囊(주머니 낭)', '中(가운데 중)', '之(어조사 지)', '錐(송곳 추)'를 써서 '주머니 속의 송곳'이라는 뜻으로, '재주가 뛰어난 사람은 저절로 드러난다'는 말이에요.

*식객: 예전에, 세력 있는 대갓집에 얹혀 있으면서 밥을 얻어먹고 지내던 사람.

1. '재주가 뛰어난 사람은 저절로 드러난다'를 뜻하는 사자성어를 빈칸에 쓰세요.

2. '낭중지추'의 뜻을 생각하며, '낭중지추'가 들어간 짧은 글짓기를 하세요.

○ ✕ 빙고

글을 읽고, 내용이 맞으면 ○를, 내용이 틀리면 ✕를 그 칸에 하세요.
가로, 세로, 대각선으로 ○가 3개 연결되는 빙고는 모두 몇 개인지 빈칸에 쓰세요.

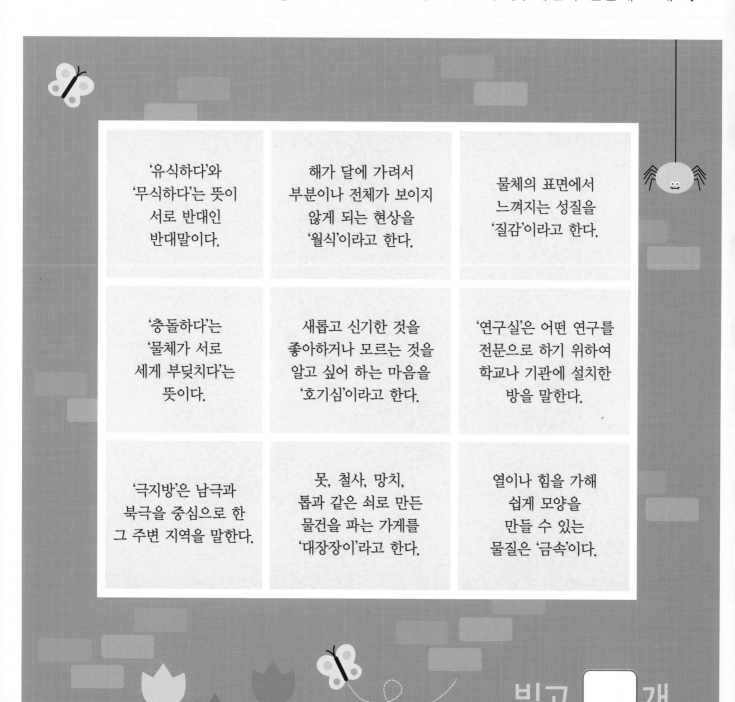

'유식하다'와
'무식하다'는 뜻이
서로 반대인
반대말이다.

해가 달에 가려서
부분이나 전체가 보이지
않게 되는 현상을
'월식'이라고 한다.

물체의 표면에서
느껴지는 성질을
'질감'이라고 한다.

'충돌하다'는
'물체가 서로
세게 부딪치다'는
뜻이다.

새롭고 신기한 것을
좋아하거나 모르는 것을
알고 싶어 하는 마음을
'호기심'이라고 한다.

'연구실'은 어떤 연구를
전문으로 하기 위하여
학교나 기관에 설치한
방을 말한다.

'극지방'은 남극과
북극을 중심으로 한
그 주변 지역을 말한다.

못, 철사, 망치,
톱과 같은 쇠로 만든
물건을 파는 가게를
'대장장이'라고 한다.

열이나 힘을 가해
쉽게 모양을
만들 수 있는
물질은 '금속'이다.

빙고 ☐ 개

관심 있는 주제를 가운데 동그라미에 쓰고, 어휘들을
자유롭게 적으며 나만의 어휘 그물을 만들어 보세요.

내가 만드는
어휘 그물

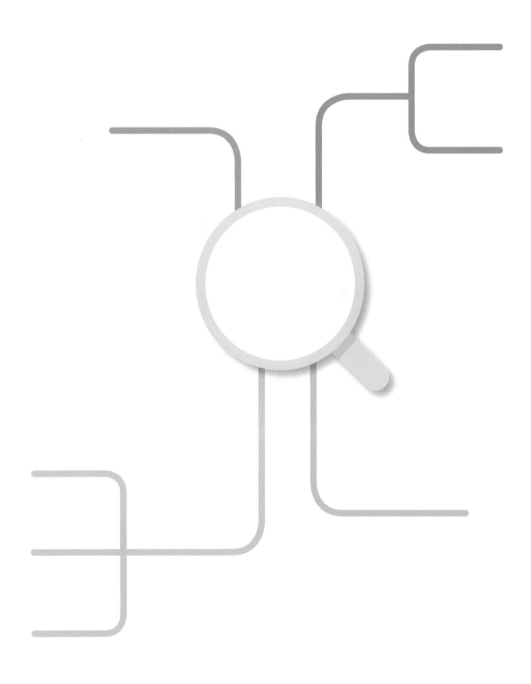

이번 주에 공부할 어휘들이에요.
어휘를 살펴보고,
알고 있는 어휘에 ✔를 하세요.
공부할 날짜를 쓰며
학습 계획도 세워 보세요.

1일 여가

📖 공부할 날 ⬤ 월 ⬤ 일

- ☐ 개성
- ☐ 공통점
- ☐ 동호회
- ☐ 열정
- ☐ 즐기다
- ☐ 취미
- ☐ 취향
- ☐ 회복하다
- ☐ 휴가

2일 배

📖 공부할 날 ⬤ 월 ⬤ 일

- ☐ 나루터
- ☐ 돛단배
- ☐ 부두
- ☐ 선원
- ☐ 선장
- ☐ 유람선
- ☐ 항구
- ☐ 항해하다
- ☐ 화물선

3일 교통사고

📖 공부할 날   월   일

- ☐ 과속
- ☐ 구급차
- ☐ 대처하다
- ☐ 발생하다
- ☐ 벌금
- ☐ 부상
- ☐ 심각하다
- ☐ 위독하다
- ☐ 응급실

4일 에너지

📖 공부할 날   월   일

- ☐ 가전제품
- ☐ 개발하다
- ☐ 발전소
- ☐ 소모하다
- ☐ 손실
- ☐ 신기술
- ☐ 원자력
- ☐ 전류
- ☐ 태양열

5일 어휘 복습

📖 공부할 날   월   일

아는 어휘   개

/ 모르는 어휘   개

1일

여가

'여가'와 관련 있는 어휘와 그 뜻을 소리 내어 읽고, 어휘 그물을 살펴보며 빈칸에 알맞은 낱말을 쓰세요.

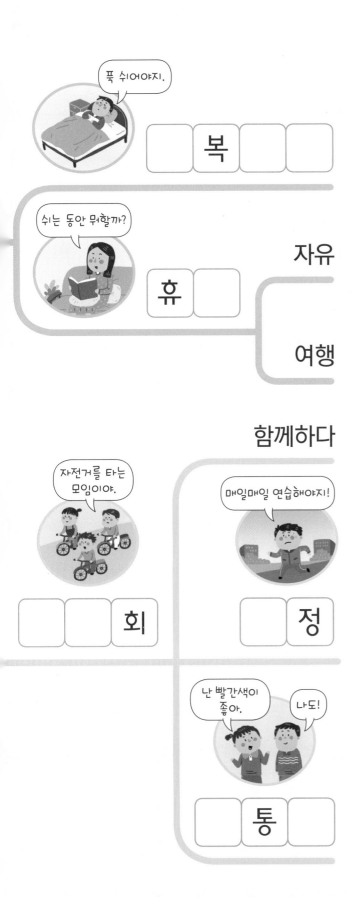

*여가: 일을 하지 않는 시간. 또는 일을 하는 중간에 생기는 여유로운 시간.
*여유: 시간이나 공간, 돈 등이 필요한 데 쓰고도 넉넉하게 남는 것.

어휘 읽기

4주

개성(個 낱 개 性 성품 성)
사람마다 고유하게 지닌 남다른 점.

공통점(共 함께 공 通 통할 통 點 점 점)
여럿 사이에 서로 비슷하거나 같은 점.

동호회(同 같을 동 好 좋을 호 會 모일 회)
같은 취미를 가지고 함께 즐기는 사람들의
모임.

열정(熱 더울 열 情 뜻 정)
어떤 일에 뜨거운 애정을 가지고 열심히
하는 마음.

즐기다
어떤 것을 좋아하여 자주 하다.

취미(趣 뜻 취 味 맛 미)
좋아하여 재미로 즐겨서 하는 일.

취향(趣 뜻 취 向 향할 향)
어떤 것을 좋아해서 하고 싶어 하는 마음.

회복(回 돌아올 회 復 회복할 복)**하다**
원래의 상태로 돌이키거나 원래의 상태를
되찾다.

휴가(休 쉴 휴 暇 한가할 가)
직장이나 학교 등과 같은 단체에서 일정한
기간 동안 쉬는 일.

🖐 뜻을 읽고, 알맞은 낱말을 보기 에서 찾아 빈칸에 쓰세요.

| 보기 | 취향 | 즐기다 | 공통점 | 회복하다 | 개성 |

어떤 것을 좋아해서 하고 싶어 하는 마음.

여럿 사이에 서로 비슷하거나 같은 점.

원래의 상태로 돌이키거나 원래의 상태를 되찾다.

어떤 것을 좋아하여 자주 하다.

사람마다 고유하게 지닌 남다른 점.

🖐 글을 읽고, 바른 문장이 되도록 알맞은 낱말을 찾아 ◯ 하세요.

① 서연이의 (자유, 취미)는 피아노 치기여서 매일 피아노를 친다.

② 올여름은 시골에서 (휴가, 혼례)를 보낼 생각이다.

③ 수아는 영화 보는 것을 좋아해서 영화 (온난화, 동호회)에 가입했다.

④ 지호는 춤에 대한 (열정, 예측)으로 힘든 연습을 참아 냈다.

✎ 그림을 보고, 떠오르는 낱말을 보기 에서 찾아 빈칸에 쓰세요.

보기   불꽃   타오르다

열정

한자어

✎ '통(通)'과 '개(個)'의 뜻을 읽고, 알맞은 낱말을 보기 에서 찾아 빈칸에 쓰세요.

보기   통과   별개   소통   개별

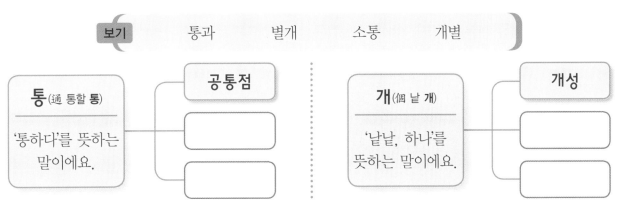

통(通 통할 통)

'통하다'를 뜻하는 말이에요.

공통점

개(個 낱 개)

'낱낱, 하나'를 뜻하는 말이에요.

개성

* '별개'는 '서로 달라 관련되는 것이 없음'을, '개별'은 '따로 떨어져 있는 상태'를 뜻해요.

속담

✎ 만화를 보고, 상황에 맞는 말이 되도록 알맞은 낱말을 보기 에서 찾아 빈칸에 쓰세요.

보기   도낏자루   신선놀음

1시간만 해야지.

으악, 벌써 시간이 이렇게 되다니!

에

썩는 줄 모른다

▶ 속담 '신선놀음에 도낏자루 썩는 줄 모른다'는 '아주 재미있는 일에 정신이 팔려서 시간 가는 줄 모른다'는 뜻이에요.

스스로
평가 😄 ☺ 😞

83

2일

배

'배'와 관련 있는 어휘와 그 뜻을 소리 내어 읽고, 어휘 그물을 살펴보며 빈칸에 알맞은 낱말을 쓰세요.

나룻배

☐ ☐ 터

등대*

방파제

항 ☐

☐ 두

출항하다*

배

항 ☐ ☐

장

직업

선

물

종류

유

배

유조선

*등대: 섬이나 바닷가에 세워져 밤에 배들이 길을 잃지 않도록 불빛 신호를
　　　보내는 높은 건물.
*출항하다: 배나 비행기가 출발하다.

어휘 읽기

나루터
나룻배가 떠나고 도착하는 일정한 곳.

돛단배
배 바닥에 기둥을 세운 후 넓은 천을 매달아
놓은 배.

부두(埠 부두 **부** 頭 머리 **두**)
사람과 짐을 싣거나 내리려고 배를 대는 곳.

선원(船 배 **선** 員 관원 **원**)
배에서 일하는 사람.

선장(船 배 **선** 長 어른 **장**)
배의 항해를 책임지고 선원들을 지휘하는
최고 책임자.

유람선(遊 놀 **유** 覽 볼 **람** 船 배 **선**)
경치를 구경하는 사람을 태우고 다니는 배.

항구(港 뱃길 **항** 口 입 **구**)
배가 드나들 수 있도록 강가나 바닷가에
부두와 같은 시설을 만들어 놓은 곳.

항해(航 배 **항** 海 바다 **해**)**하다**
배를 타고 바다 위를 다니다.

화물선(貨 재물 **화** 物 물건 **물** 船 배 **선**)
큰 짐을 실어 나르는 배.

✏️ 낱말을 읽고, 알맞은 뜻을 찾아 선으로 이으세요.

화물선 •

나루터 •

부두 •

돛단배 •

• 배 바닥에 기둥을 세운 후 넓은 천을 매달아 놓은 배.

• 큰 짐을 실어 나르는 배.

• 나룻배가 떠나고 도착하는 일정한 곳.

• 사람과 짐을 싣거나 내리려고 배를 대는 곳.

✏️ 글을 읽고, 바른 문장이 되도록 알맞은 낱말을 보기 에서 찾아 빈칸에 쓰세요.

보기　　선원　　항구　　선장　　항해했다　　유람선

① [   ]은 배를 운전하고, 배에서 일하는 사람들을 관리한다.

② 한강에서 [   ]을 타고 밤경치를 구경했다.

③ 배에 오른 승객들은 [   ]들의 안내를 받아 객실로 갔다.

④ 커다란 배가 [   ]를 떠나 바다로 나갔다.

⑤ 그들은 새로운 땅을 찾기 위해 넓은 바다를 [   ].

연상 어휘

✎ 그림을 보고, 떠오르는 낱말을 **보기** 에서 찾아 빈칸에 쓰세요.

보기 망원경   발견하다

선장

유의어

✎ 낱말을 읽고, 비슷한말을 **보기** 에서 찾아 빈칸에 쓰세요.

보기 놀잇배   항진

항구 = [   ]   유람선 = [   ]

* '항진'은 '배가 안전하게 드나들도록 바닷가에 부두 등을 설비한 곳'을 뜻해요.

속담

✎ 만화를 보고, 상황에 맞는 말이 되도록 알맞은 낱말을 **보기** 에서 찾아 빈칸에 쓰세요.

보기 나루   배

▶ 속담 '나루 건너 배 타기'는 '무슨 일에나 순서가 있어 건너뛰어서는 할 수 없다'는 뜻이에요.

스스로
평가 ☺ ☺ ☹

3일

교통사고

'교통사고'와 관련 있는 어휘와 그 뜻을 소리 내어 읽고, 어휘 그물을 살펴보며 빈칸에 알맞은 낱말을 쓰세요.

어휘 읽기

신고하다

신속하다*

| 대 | | | |

| | 응 | | |

| | 생 | | |

과속(過 지날 **과** 速 빠를 **속**)
자동차 등이 정해진 속도보다 지나치게
빨리 달림. 또는 그 속도.

구급차(救 구원할 **구** 急 급할 **급** 車 차 **차**)
생명이 위급한 환자나 부상자를 신속하게
병원으로 실어 나르는 자동차.

대처(對 대할 **대** 處 곳 **처**)**하다**
어떤 어려운 일이나 상황을 이겨 내기에
알맞게 행동하다.

발생(發 필 **발** 生 날 **생**)**하다**
어떤 일이 일어나거나 사물이 생겨나다.

벌금(罰 벌할 **벌** 金 돈 **금**)
규칙을 어겼을 때 벌로 내게 하는 돈.

부상(負 입을 **부** 傷 상처 **상**)
몸에 상처를 입음.

심각(深 깊을 **심** 刻 새길 **각**)**하다**
상태나 정도가 매우 깊고 중대하다.

위독(危 위태할 **위** 篤 도타울 **독**)**하다**
병이 몹시 깊거나 심하게 다쳐서 목숨이
위태롭다.

응급실(應 응할 **응** 急 급할 **급** 室 집 **실**)
병원 등에서 환자의 응급 처치를 할 수 있는
시설을 갖추어 놓은 방.

***과속 방지 턱**: 자동차가 달리는 속도를 강제로 낮추기 위해 길바닥에
　　　　　설치하는 턱.
***신속하다**: 매우 날쌔고 빠르다.

✎ 낱말이나 뜻을 읽고, 알맞은 낱말을 보기 에서 찾아 빈칸에 쓰세요.

보기   대처하다   발생하다   목숨   돈   심각하다

① [   ] : 상태나 정도가 매우 깊고 중대하다.

② [   ] : 어떤 일이나 일어나거나 사물이 생겨나다.

③ 벌금: 규칙을 어겼을 때 벌로 내게 하는 [   ].

④ [   ] : 어떤 어려운 일이나 상황을 이겨 내기에 알맞게 행동하다.

⑤ 위독하다: 병이 몹시 깊거나 심하게 다쳐서 [   ]이 위태롭다.

✎ 글을 읽고, ( ) 안에 들어갈 알맞은 낱말을 찾아 선으로 이으세요.

( )으로 달리던 자동차가 전봇대를 들이받았다.   •   •   구급차

교통사고를 당한 준우는 ( )에 실려 병원으로 옮겨졌다.   •   •   응급실

하린이는 팔을 크게 다쳐 ( )에 가서 치료를 받았다.   •   •   부상

동생이 달리기를 하다가 넘어져서 ( )을 당했다.   •   •   과속

✎ 그림을 보고, 떠오르는 낱말을 보기 에서 찾아 빈칸에 쓰세요.

보기   중환자   수술

*'중환자'는 '병이나 상처가 아주 심한 환자'를 뜻해요.

동음이의어

✎ 글을 읽고, 밑줄 친 낱말의 뜻을 보기 에서 찾아 알맞은 기호를 빈칸에 쓰세요.

보기
ㄱ 부상(負 입을 부 傷 상처 상): 몸에 상처를 입음.
ㄴ 부상(副 버금 부 賞 상줄 상): 상 외에 따로 주는 상금이나 상품.

① 상장과 함께 상품권을 **부상**으로 받았다. ·········· ☐

② 축구를 하다가 다리에 심한 **부상**을 입었다. ·········· ☐

한자어

✎ '급(急)'과 '벌(罰)'의 뜻을 읽고, 알맞은 낱말을 보기 에서 찾아 빈칸에 쓰세요.

보기   벌칙   처벌   응급실   급속

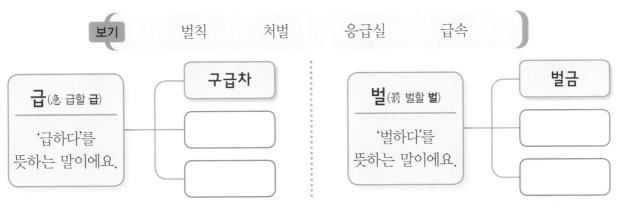

*'벌칙'은 '법이나 약속 등을 어겼을 때 주는 벌을 정해 놓은 규칙'을, '처벌'은 '법이나 규칙에 따라 벌을 주는 것'을, '급속'은 '매우 빠름'을 뜻해요.

스스로
평가 😄 🙂 😖

91

에너지

'에너지'와 관련 있는 어휘와 그 뜻을 소리 내어 읽고, 어휘 그물을
살펴보며 빈칸에 알맞은 낱말을 쓰세요.

새로운 약을
만들어야지.

우아, 처음 본
기능이야!

개 ☐ ☐ ☐

☐ ☐ 술

연구소

에너지*

수력*

풍력*

☐ 자 ☐

발 ☐ ☐

전기

태 ☐

92

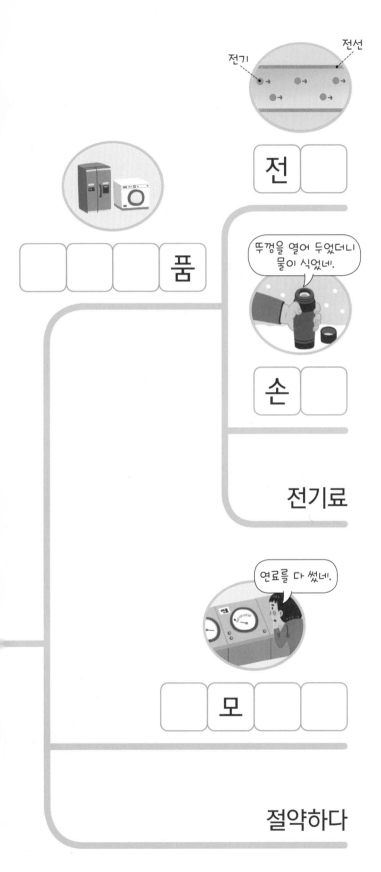

수력: 물이 흐르거나 떨어질 때 발생하는 힘.
에너지: 물체가 가지고 있는 힘. 또는 물체가 일을 하게 하는 힘.
풍력: 바람의 세기. 또는 바람의 힘.

어휘 읽기

가전제품
(家 집 **가** 電 전기 **전** 製 지을 **제** 品 물건 **품**)
가정에서 사용하는 여러 가지 전기 기구.

개발(開 열 **개** 發 필 **발**)**하다**
새로운 물건을 만들거나 새로운 생각을
내놓다.

발전소(發 필 **발** 電 전기 **전** 所 바 **소**)
물, 열, 바람 같은 것으로 전기를 일으키는
시설을 갖춘 곳.

소모(消 없앨 **소** 耗 소모할 **모**)**하다**
어떤 것을 써서 없애다.

손실(損 줄일 **손** 失 잃을 **실**)
줄거나 잃어버려서 손해를 봄. 또는 그 손해.

신기술(新 새로울 **신** 技 재주 **기** 術 꾀 **술**)
새로운 기술.

원자력(原 근원 **원** 子 아들 **자** 力 힘 **력**)
원자의 핵이 깨지거나 다른 핵으로 바뀔 때
생기는 에너지.

전류(電 전기 **전** 流 흐를 **류**)
전기가 흐르는 현상이나 그 정도.

태양열(太 클 **태** 陽 해 **양** 熱 더울 **열**)
태양에서 나와 지구에 도달하는 열.

✏️ 낱말을 읽고, 알맞은 뜻을 찾아 선으로 이으세요.

소모하다 •

신기술 •

전류 •

원자력 •

• 원자의 핵이 깨지거나 다른 핵으로 바뀔 때 생기는 에너지.

• 새로운 기술.

• 어떤 것을 써서 없애다.

• 전기가 흐르는 현상이나 그 정도.

✏️ 글을 읽고, 바른 문장이 되도록 알맞은 낱말을 보기 에서 찾아 빈칸에 쓰세요.

보기   태양열   손실   개발하기   가전제품   발전소

① 새 제품의 불량으로 회사가 막대한 [   ] 을 입었다.

② 소영이네는 이사를 하면서 세탁기, 냉장고 등 [   ] 을 새로 샀다.

③ 풍력 [   ] 는 바람으로 풍차를 돌려 전기를 만든다.

④ 우리 집은 [   ] 을 모아 난방에 사용한다.

⑤ 과학자들은 새로운 기술을 [   ] 위해 항상 힘쓴다.

연상 어휘

✎ 그림을 보고, 떠오르는 낱말을 보기 에서 찾아 빈칸에 쓰세요.

보기   저축   절약하다

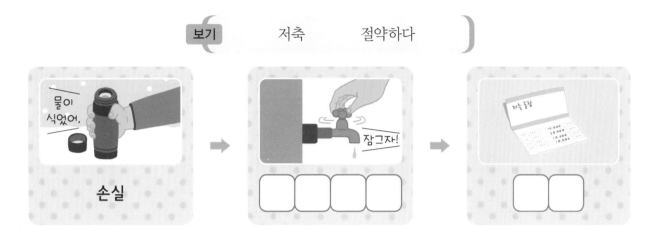

상위어 · 하위어

✎ 낱말을 읽고, 알맞은 낱말을 보기 에서 찾아 빈칸에 쓰세요.

보기   원자력   가전제품

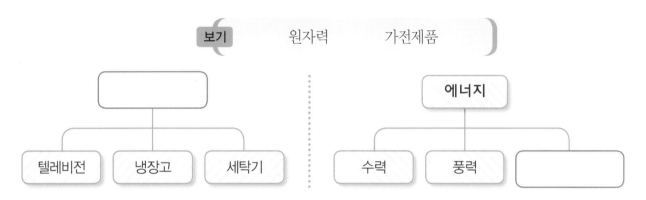

한자어

✎ '신(新)'과 '실(失)'의 뜻을 읽고, 알맞은 낱말을 보기 에서 찾아 빈칸에 쓰세요.

보기   상실   신문   실망   최신

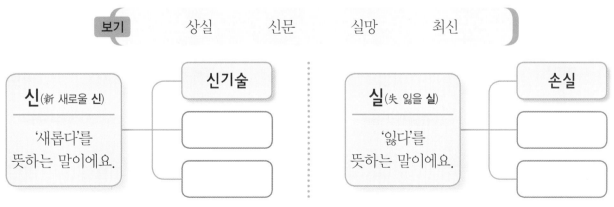

* '상실'은 '어떤 것이 아주 없어지거나 사라짐'을 뜻해요.

스스로
평가   😊 ☺ 😞

📖 국어 글을 읽고, 바른 문장이 되도록 알맞은 낱말을 보기 에서 찾아 빈칸에 쓰세요.

보기   침착하게   심통   뿌듯했다   참견   용기

① 우진이는 여자아이들끼리 노는 데 자꾸 와서 이것저것 [   ] 을 했다.

② 윤아는 공기 알을 떨어뜨리지 않고 [   ] 던지고 잡았다.

③ 사라의 용감한 행동으로 마침내 법이 바뀌었다는 글을 읽고 마음이 [   ].

④ 나의 잘못을 친구에게 사실대로 말할 [   ] 가 나지 않았다.

⑤ 기분이 좋지 않아 동생에게 [   ] 을 부렸다.

*'침착하다'는 '쉽게 흥분하지 않고 행동이 조심스럽고 차분하다'를, '심통'은 '무엇을 좋게 생각하지 않는 못된 마음'을, '용기'는 '겁이 없고 씩씩한 기운'을 뜻해요.

📖 수학 낱말을 읽고, 알맞은 뜻을 찾아 선으로 이으세요.

대각선 •

곡선 •

정다각형 •

• 변의 길이가 모두 같고, 각의 크기가 모두 같은 다각형.

• 다각형에서 서로 이웃하지 않는 두 꼭짓점을 이은 선분.

• 모나지 않고 부드럽게 굽은 선.

사회 뜻을 읽고, 알맞은 낱말을 보기 에서 찾아 빈칸에 쓰세요.

보기   유람선   조선소   등대   부두   구급차   항구   문화원

배가 드나들 수 있도록 강가나 바닷가에
부두와 같은 시설을 만들어 놓은 곳.

경치를 구경하는 사람을
태우고 다니는 배.

생명이 위급한 환자나 부상자를
신속하게 병원으로 실어 나르는 자동차.

사람과 짐을 싣거나 내리려고
배를 대는 곳.

한 사회에서 이루어진 문화를 한눈에
접할 수 있도록 만들어 놓은 공간.

배를 만들거나 고치는 곳.

섬이나 바닷가에 세워져 밤에 배들이
길을 잃지 않도록 불빛 신호를 보내는
높은 건물.

4
주

과학 낱말을 읽고, 알맞은 뜻을 찾아 선으로 이으세요.

잎몸 •	• 잎을 줄기나 가지에 붙어 있게 하는 자루 부분.
잎맥 •	• 잎에서 선처럼 보이는 것으로, 물과 영양분의 이동 통로 역할을 하는 부분.
잎자루 •	• 잎에서 잎사귀를 이루는 넓은 몸통 부분.

과학 글을 읽고, 바른 문장이 되도록 알맞은 낱말을 보기 에서 찾아 빈칸에 쓰세요.

보기	생활용품	한해살이	확대경	공통점	광택

① 풀과 나무의 [   ]은 모두 뿌리, 줄기, 잎이 있다는 것이다.

② 풀은 대부분 [   ] 식물이지만 나무는 모두 여러해살이 식물이다.

③ 부레옥잠의 잎은 매끈하며 [   ]이 난다.

④ 도꼬마리 열매의 가시를 [   ]으로 보면 끝이 갈고리처럼 굽어져 있다.

⑤ 찍찍이 테이프와 선풍기 날개는 식물의 특징을 활용한 [   ]이다.

*'생활용품'은 '생활하는 데에 기본적으로 필요한 물건'을, '한해살이'는 '봄에 싹이 트고 꽃을 피운 다음 그해 가을에 열매를 맺고 죽는 일. 또는 그런 식물'을, '확대경'은 '작은 것을 크게 보기 위한 도구'를 뜻해요.

'개과천선'에 대한 글을 읽고, 물음에 답하세요.

개과천선(改過遷善)

'개과천선'은 '改(고칠 개)', '過(허물 과)', '遷(달라질 천)', '善(착할 선)' 자를 써서, '지난 허물을 고치고 착한 사람이 된다'는 뜻이에요. 지난날의 잘못을 뉘우치고 새사람이 되었을 때 쓰는 말로, 중국 진나라 주처의 이야기에서 유래되었어요. 주처는 뼈대 있는 가문 출신이었으나 아버지가 돌아가시면서 조금씩 삐뚤어져 온갖 나쁜 짓을 하며 살았어요. 그러나 철이 들면서 자신의 잘못을 깨닫고 새사람이 되기로 결심했지요. 하지만 마을 사람들이 주처를 믿지 않고 피하자 주처는 마을을 떠나 유명한 학자를 찾아갔어요. 학자는 주처에게 "지난 잘못을 뉘우치고 착하게 산다면 자네의 앞길은 훤히 열릴 걸세."라며 격려해 주었어요. 이 말에 용기를 얻은 주처는 마음을 잡고 착하게 살며 10여 년 동안 열심히 공부했어요. 그리고 마침내 훌륭한 학자가 되었답니다.

1. '지난 허물을 고치고 착한 사람이 됨'을 뜻하는 사자성어를 빈칸에 쓰세요.

2. '개과천선'의 뜻을 생각하며, '개과천선'이 들어간 짧은 글짓기를 하세요.

_____

이행시랑 삼행시랑

💡 제시된 낱말을 보고 재미있는 이행시 또는 삼행시를 지으세요.

예

구 　**구**불구불 길을 가는데

급 　**급**하게 뛰다가 그만 돌에 걸려 쿵!

차 　**차**분하게 걸을 걸 그랬어요.

선 　선

원 　원

발 　발

전 　전

소 　소

열 　열

정 　정

관심 있는 주제를 가운데 동그라미에 쓰고, 어휘들을
자유롭게 적으며 나만의 어휘 그물을 만들어 보세요.

내가 만드는
어휘 그물

초등 교과 연계표

>> 〈1일 10분 초등 메가 어휘력〉은 초등 주요 교과에서 뽑은 어휘들과 교과 학습에 도움이 되는 어휘들로 이루어져 있습니다.

1주	일	주제	교과 및 연계 단원	
	1	한글	국어 4-1 (나) 9. 자랑스러운 한글	도덕 3 2. 인내하며 최선을 다하는 생활
	2	일	국어 3-1 (가) 4. 내 마음을 편지에 담아 국어 4-2 (나) 5. 의견이 드러나게 글을 써요	도덕 3 2. 인내하며 최선을 다하는 생활
	3	공공 기관	국어 3-2 (나) 8. 글의 흐름을 생각해요 사회 3-1 3. 교통과 통신 수단의 변화	사회 4-1 3. 지역의 공공 기관과 주민 참여 도덕 3 5. 함께 지키는 행복한 세상
	4	회의	국어 3-2 (나) 6. 마음을 담아 글을 써요 국어 4-1 (나) 6. 회의를 해요	국어 4-1 (나) 8. 이런 제안 어때요
	5	어휘 복습	국어 4-2 (가) 3. 바르고 공손하게 수학 3-2 5. 들이와 무게 사회 4-1 3. 지역의 공공 기관과 주민 참여	과학 3-2 4. 물질의 상태 과학 4-1 4. 물체의 무게

2주	일	주제	교과 및 연계 단원	
	1	쓰레기	국어 3-1 (나) 6. 일이 일어난 까닭 국어 3-1 (나) 8. 의견이 있어요	사회 4-1 3. 지역의 공공 기관과 주민 참여 도덕 3 4. 아껴 쓰는 우리
	2	갯벌	국어 3-2 (가) 1. 작품을 보고 느낌을 나누어요 국어 3-2 (가) 2. 중심 생각을 찾아요	사회 3-2 1. 환경에 따라 다른 삶의 모습
	3	자연재해	국어 4-2 (나) 5. 의견이 드러나게 글을 써요 과학 4-2 4. 화산과 지진	도덕 4 5. 하나 되는 우리
	4	전쟁	국어 3-1 (나) 8. 의견이 있어요	도덕 4 5. 하나 되는 우리
	5	어휘 복습	국어 3-1 (나) 9. 어떤 내용일까 수학 4-2 6. 다각형	사회 4-1 1. 지역의 위치와 특성 과학 4-1 5. 혼합물의 분리

3주	일	주제	교과 및 연계 단원	
	1	물체	국어 3-1 ㉮ 5. 중요한 내용을 적어요 국어 3-1 ㉯ 7. 반갑다, 국어사전	국어 3-2 ㉮ 4. 감동을 나타내요 과학 3-1 2. 물질의 성질
	2	자석	국어 3-1 ㉮ 2. 문단의 짜임 과학 3-1 4. 자석의 이용	과학 4-2 1. 식물의 생활
	3	달	국어 3-2 ㉮ 4. 감동을 나타내요 국어 4-1 ㉯ 7. 사전은 내 친구	과학 3-1 5. 지구의 모습 과학 4-1 4. 물체의 무게
	4	과학자	과학 3-1 ㉯ 9. 어떤 내용일까 과학 4-1 1. 과학자처럼 탐구해 볼까요?	과학 4-2 4. 화산과 지진 도덕 4 3. 아름다운 사람이 되는 길
	5	어휘 복습	국어 3-2 ㉮ 2. 중심 생각을 찾아요 국어 3-2 ㉯ 6. 마음을 담아 글을 써요 수학 4-1 2. 각도	사회 4-1 1. 지역의 위치와 특성 과학 3-1 1. 과학자는 어떻게 탐구할까요?

4주	일	주제	교과 및 연계 단원	
	1	여가	국어 3-1 ㉯ 7. 반갑다, 국어사전 국어 3-2 ㉮ 1. 작품을 보고 느낌을 나누어요	과학 4-1 3. 식물의 한살이
	2	배	사회 3-1 3. 교통과 통신 수단의 변화	사회 4-2 1. 촌락과 도시의 생활 모습
	3	교통사고	국어 4-1 ㉯ 8. 이런 제안 어때요 사회 3-1 3. 교통과 통신 수단의 변화	사회 4-1 3. 지역의 공공 기관과 주민 참여 도덕 4 4. 힘과 마음을 모아서
	4	에너지	국어 3-1 ㉮ 3. 알맞은 높임 표현 국어 4-1 ㉮ 3. 느낌을 살려 말해요	과학 3-1 5. 지구의 모습 수학 3-1 1. 덧셈과 뺄셈
	5	어휘 복습	국어 4-2 ㉮ 4. 이야기 속 세상 수학 4-2 6. 다각형 사회 3-1 3. 교통과 통신 수단의 변화	사회 3-2 1. 환경에 따라 다른 삶의 모습 과학 4-2 1. 식물의 생활

정답

📖 8~9쪽 📖 10~11쪽

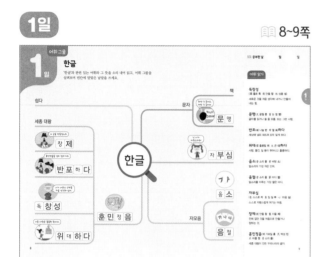

📖 12~13쪽 📖 14~15쪽

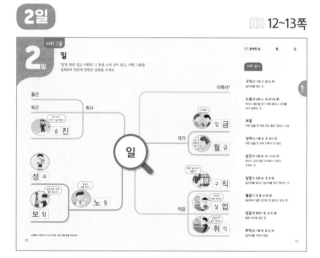

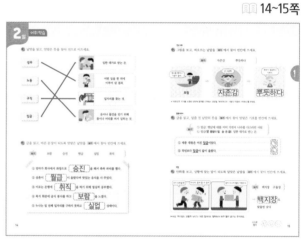

📖 16~17쪽 📖 18~19쪽

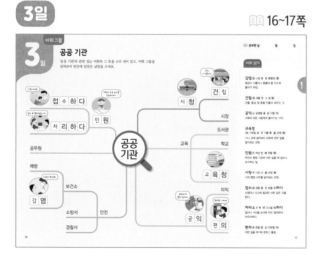

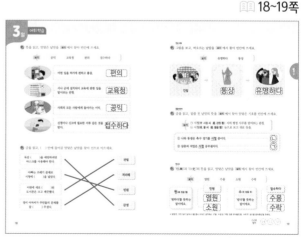

4일

20~21쪽

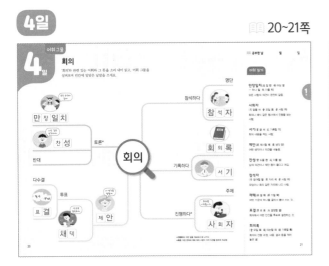

22~23쪽

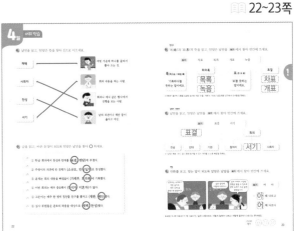

5일

24~25쪽

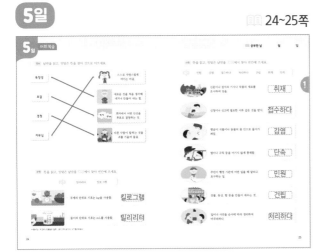

26~27쪽

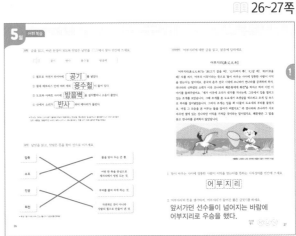

28쪽

2주 정답

1일

📖 32~33쪽

📖 34~35쪽

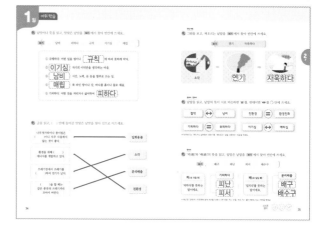

2일

📖 36~37쪽

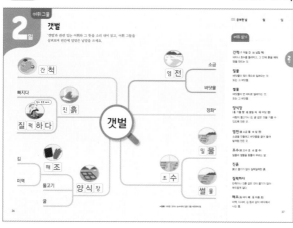

📖 38~39쪽

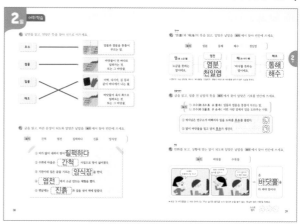

3일

📖 40~41쪽

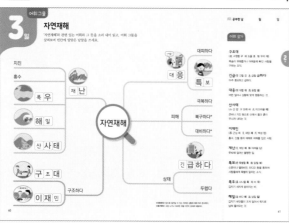

📖 42~43쪽

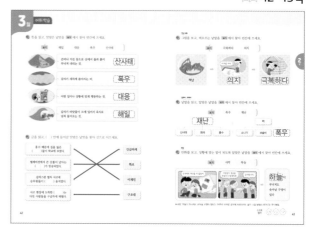

4일

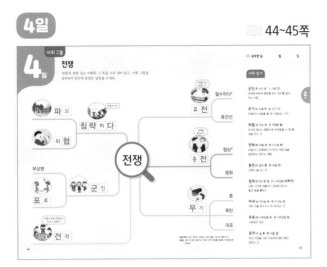

44~45쪽

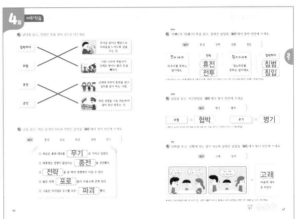

46~47쪽

5일

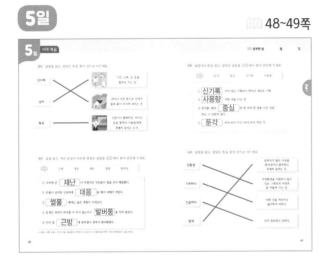

48~49쪽

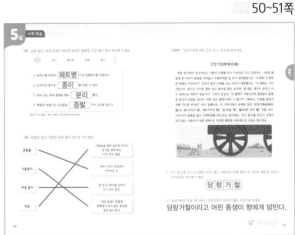

50~51쪽

52쪽

1일

📖 56~57쪽

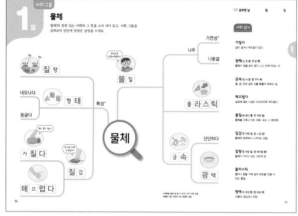

📖 58~59쪽

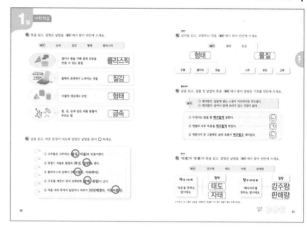

2일

📖 60~61쪽

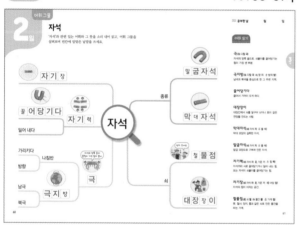

📖 62~63쪽

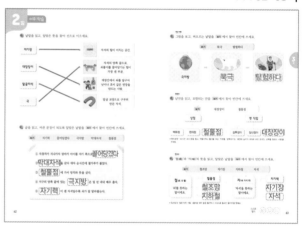

3일

📖 64~65쪽

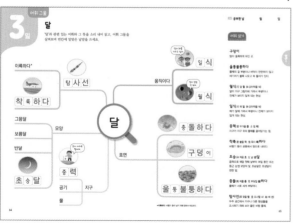

📖 66~67쪽

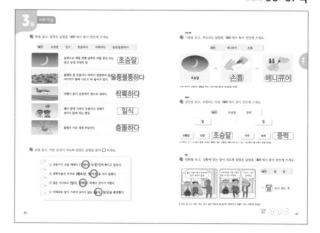

4일

📖 68~69쪽

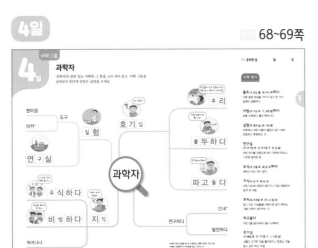

📖 70~71쪽

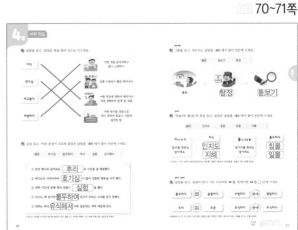

5일

📖 72~73쪽

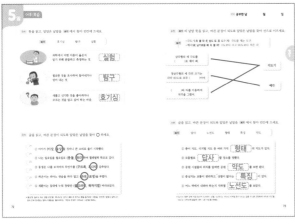

📖 74~75쪽

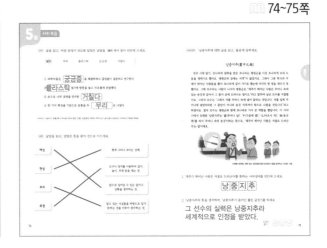

📖 76쪽

4주 정답

1일

📖 80~81쪽

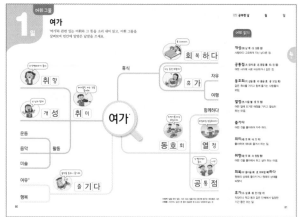

📖 82~83쪽

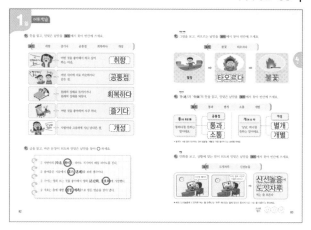

2일

📖 84~85쪽

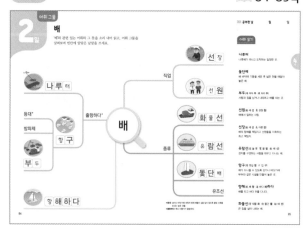

📖 86~87쪽

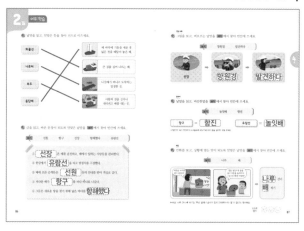

3일

📖 88~89쪽

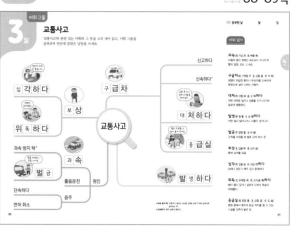

📖 90~91쪽

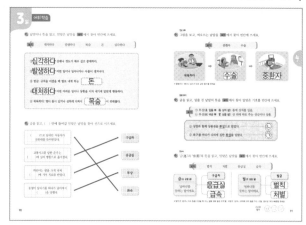

4일

92~93쪽

94~95쪽

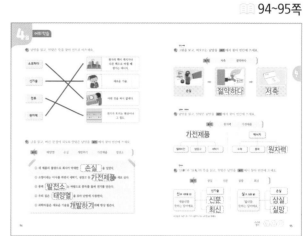

5일

96~97쪽

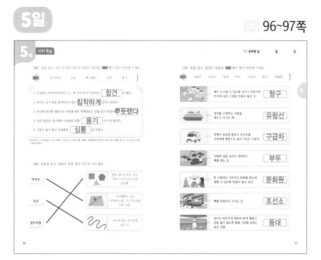

98~99쪽

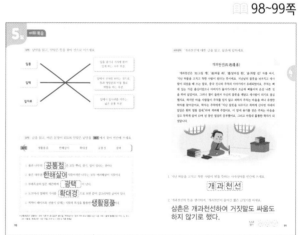

100쪽

초등 메가 어휘력 어휘 주제표

예비 초등

구분	1권	2권	3권
1주	나	동물	신체
	가족	식물	얼굴
	유치원	음악	감정
	친구	미술	식사
2주	옷	일기 예보	운동회
	건강	무더위	놀이
	생활 도구	바다	놀이공원
	우리 동네	눈	여행
3주	건강한 생활	농장	운동 경기
	병원	농부	교통
	청소	직업	안전
	집	이웃	시간
4주	봄	명절	하루
	여름	예절	일기
	가을	우리나라	학교
	겨울	세계	옛이야기

초등

구분	초등 1~2학년			초등 3~4학년		
	1권	2권	3권	4권	5권	6권
1주	나	동물	방학	나	문학	한글
	가족	식물	편지	집	민주주의	일
	학교	곤충	공연	자연환경	날씨	공공 기관
	친구	질병	체험	전통 음식	문화유산	회의
2주	예절	시간	도서관	언어	시	쓰레기
	우리 동네	옛날	박물관	고장	명절	갯벌
	명절	환경	공룡	물질	환경 오염	자연재해
	우리나라	우주	자동차	교통과 통신	소설	전쟁
3주	성격과 감정	도구	바느질	측정	감각	물체
	우정	음악	요리	지도	경제	자석
	대화	미술	반려동물	지각	희곡	달
	친척	세계	장마	가족 행사	우주	과학자
4주	봄	농사	물놀이	가정	위인	여가
	여름	조상	자전거	음식	전통	배
	가을	작은 동물	낚시	절약	국가	교통사고
	겨울	화재	등산	의사소통	올림픽	에너지